Mulher Perdigueira

Do autor:

As Solas do Sol

Cinco Marias

Como no Céu & Livro de Visitas

O Amor Esquece de Começar

Meu Filho, Minha Filha

Um Terno de Pássaros ao Sul

Canalha!

Terceira Sede

www.twitter.com/carpinejar

Mulher Perdigueira

Borralheiro

Ai Meu Deus, Ai Meu Jesus

Espero Alguém

Me Ajude a Chorar

Carpinejar

Mulher Perdigueira

— crônicas —

7ª edição

Copyright © 2009, Fabrício Carpi Nejar

Capa: Raul Fernandes
Foto de capa: Lisa Spindler Photography Inc./GETTY Images
Foto do Autor: Renata Stoduto

Editoração: DFL

Texto revisado segundo o novo
Acordo Ortográfico da Língua Portuguesa.

2015
Impresso no Brasil
Printed in Brazil

CIP-Brasil. Catalogação na fonte
Sindicato Nacional dos Editores de Livros – RJ

C298m Carpinejar, 1972-
7ª ed. Mulher perdigueira: crônicas/Carpinejar. – 7ª ed. – Rio de Janeiro: Bertrand Brasil, 2015.
336p.

ISBN 978-85-286-1432-9

1. Crônica brasileira. I. Título.

10-1917

CDD – 869.98
CDU – 821.134.3 (81)-8

Todos os direitos reservados pela:
EDITORA BERTRAND BRASIL LTDA.
Rua Argentina, 171 – 2º andar – São Cristóvão
20921-380 – Rio de Janeiro – RJ
Tel.: (0xx21) 2585-2070 – Fax: (0xx21) 2585-2087

Não é permitida a reprodução total ou parcial desta obra, por quaisquer meios, sem a prévia autorização por escrito da Editora.

Atendimento e venda direta ao leitor:
mdireto@record.com.br ou (21) 2585-2002

*Se uma mulher faz um barraco,
pode ter certeza de que foi o homem que trouxe a favela.*

Sumário

QUERO UMA MULHER PERDIGUEIRA 15

O MAIOR SEDUTOR 18

CASAMENTO COM CARTEIRA ASSINADA 21

ENTERRE-ME SENTADO 25

REUNIÃO DANÇANTE 27

UMA COR AQUECIDA 30

DOIDEIRA DESCARTÁVEL 32

PRATINHO DO VASO 35

SENTIMENTAL 38

BATENDO PANELAS 41

FALO SÉRIO 43

INFIDELIDADE MASCULINA 46

INFIDELIDADE FEMININA 49

"OU ENTRA EM TRATAMENTO OU TERMINO O NAMORO" 51

AMBIGUIDADES 53

QUANDO O PAI ESQUECE O FILHO DO

PRIMEIRO CASAMENTO 56

EFEITO JACARÉ 59

QUINZE MINUTOS DE VERDADE 62

VINGANÇA 65

CUECA NO BOX 68

O GARFO DELA, A MINHA COLHER 70

RETRATO PINTADO DO CASAL 73

CAMA NA MESA 76

LEITE DE CABRA 78

GAY HETEROSSEXUAL 80

MOCREIA 83

A CARNE É FORTE 85

O HUMOR DO FODIDO 87

CREPÚSCULO DOS CASAIS 90

ATÉ 2012 92

NÃO SABEMOS NAMORAR 95

A COBERTA DE LÃ 98

PREGUIÇOSO NO ELOGIO 101

MEIO PRESENTE 104

AS AMANTES SÃO FIÉIS AO CASAMENTO 106

ESQUEÇO QUE TENHO UM PAU 108

O INFERNO É O EXCESSO DO BEM 111

CAIXA DE MENSAGENS 113

AROMA 115

AFIADO DEMAIS 117

O GRANDE TESTE 119

MEU AMOR, EU PAGO 122

NÃO SE PODE APAGAR A LUZ DENTRO DA VOZ 125

FOBIA DAS FOBIAS 128

FILHA? 131

ATAQUE SEDUTOR 134

OVOS QUEBRADOS 138

A HIERARQUIA DA CARNE 140

O LADO PREFERIDO DA CALÇADA 143

O BARULHO É NO ANDAR DE CIMA 145

ANTES DA DOR 147

GORDO 149

CASAS PENADAS 152

RUA JARAGUÁ 155

DOIS MOMENTOS CRUCIAIS 158

CACHOS FAMILIARES 161

PERDÃO SENSUAL 164

MANIAS DE UMA LOJA DE SAPATOS 166

O ESPIRRO E A TROCA QUASE FATAL DE NOME 169

MANHÃ 172

UNIFORME ESCOLAR PELO RESTO DA VIDA 174

SESTA 176

ENTRE CAVALOS E CACHORROS 178

PORTA-MALAS 181

DEIXE MINHA CULPA EM PAZ 183

COM ALGO NOS DENTES 186

O CASAMENTO ME ESTRAGOU 189

DO LADO OU DE FRENTE? 191

VIDA DE POETA 193

GRAMÁTICA DO AMOR 196

EM TODO LUGAR 199

INUNDAÇÃO 202

BOCA MOLE 204

UM CARRO, CASADO 206

CINCO PASSOS 208

NOVO AMOR 210

AI MEU DEUS 212

DÊ PREFERÊNCIA PARA QUEM ESTÁ NA ROTATÓRIA 214

CICLONE TROPICAL 216

RODEIOS 218

LAVAGEM ESTOMACAL REGRESSIVA 221

MULHERES-ÓPERA 224

DEZEMBRO 227

EXUBERÂNCIA SECRETA 229

UM TRUQUE DAS MULHERES 232

ACEITO FIADO 234

FANTASIAS ESPECIALIZADAS 237

O CENTURIÃO CUIDANDO DA JANELA 240

RECONCILIAÇÃO 243

BOATO 245

13º ANDAR 247

SÓ O CÃO MANCO É FIEL 250

SABONETE LÍQUIDO 252

ÓRFÃO 254

O VIÚVO 256

QUANDO DEIXAMOS DE IR 259

O AMOR NO COLO 261

CHAMADA ENCONTRADA 264

CHICLETE 267

CORTAR O PULSO COM BOLACHA MARIA 269

TARADO 272

CURIOSIDADE SELVAGEM 275

LIVREMENTE 277

ENGOLIR OU CUSPIR? 279

O QUE SONHEI SER E NÃO FUI 282

TOQUE 285

PROFANAÇÃO 288

ALVO 290

MISTERIOSAS GUIMBAS 292

BANDEIRA? 294

IMPOSSÍVEL 296

QUANDO VOCÊ RECOLHEU MEU CORPO 299

AUMENTE SUA DELICADEZA EM ATÉ 28 CM 301

TODA DESPEDIDA É FALSA

(trágico é que alguns acreditam) 303

MEU COLEGA SÍSIFO 306

AQUELA ÂNCORA TRANSPARENTE 309

O BAR É UMA PESSOA 311

POUSAR É VOAR COM ROSTO 314

FLORISTAS DO MAL 316

DEPOIS DE TANTO TEMPO 319

SEPARAÇÃO CRIATIVA 322

PRECONCEITO

(por uma voz feminina) 325

A FRUTEIRA 328

SEGUNDO ALTAR 330

QUERO UMA MULHER PERDIGUEIRA

Meus amigos reclamam quando suas namoradas os perseguem. Lamentam o barraco do ciúme, a insistência dos telefonemas para falarem praticamente nada, o cerceamento dos horários.

Sempre as mesmas tramas de tolhimento da liberdade, que todos concordam e soltam gargalhadas buscando um refúgio para respirar.

Eu me faço de surdo.

Fico com vontade de pedir emprestada a chave da prisão para passar o domingo. Acho o controle comovente. Invejável.

Não sou favorável à indiferença, à independência, ao casamento sartreano. Fui criado para fazer um puxadinho, agregar família, reunir dissidentes, explodir em verdades. Duas casas diferentes já é viagem, não me serve.

Aspiro ao casamento pirandelliano, um à procura permanente do outro. Sou um totalitário na paixão. Um tirano. Um ditador. Não me dê poder que escravizo. Não me dê espaço que cultivo. Não me eleja democraticamente que mudo a constituição e emendo os mandatos.

Quero uma mulher perdigueira, possessiva, que me ligue a cada quinze minutos para contar uma ideia ou uma nova invenção para salvar as finanças, quero uma mulher que ame meus amigos e odeie qualquer amiga que se aproxime. Que arda de ciúme imaginário para prevenir o que nem aconteceu. Que seja escandalosa na briga e me amaldiçoe se abandoná-la. Que faça trabalhos em terreiro para me assustar e me banhe de noite com o sal grosso de sua nudez. Que feche meu corpo quando sair de casa, que descosture meu corpo quando voltar. Que brigue pelo meu excesso de compromissos, que me fale barbaridades sob pressão e ternuras delicadíssimas ao despertar. Que peça desculpa depois do desespero e me beije chorando.

A mulher que ninguém quer eu quero. Contraditória, incoerente, descabida. Que me envergonhe para respeitá-la. Que me reconheça para nos fortalecer.

A mulher que não sabe amar recuando e não tolera que eu ame atrasado. Que parcele em dez vezes seu dia, que não pague a conversa à vista na hora do jantar, que não junte suas notícias para contar de noite como um relatório. Admiro os bocados, as porções, as ninharias. Alegria pequena e preciosa de respirar rente ao seu nariz e definir com que roupa vou ao serviço.

O amor é uma comissão de inquérito, é abrir as contas, é grampear o telefone, é cheirar as camisas. É também o perdão, não conseguir dormir sem fazer as pazes.

O amor é cobrança, dor de cotovelo, não aceitar uma vida pela metade, não confundi-la com segurança. Exigir mais vontade quando ela se ofereceu inteira. Enlouquecê-la para pentear seus cabelos antes do vento. Enervá-la para que diga que não a entende. E entender menos e precisar mais.

Quem aspira ao conforto que se conserve solteiro. Eu me entrego para dependência. Não há nada mais agradável do que misturar os defeitos com as virtudes e perder as contas na partilha.

Não há nada mais valioso do que trabalhar integralmente para uma história. Não raciocinar outra coisa senão cortejá-la: avisá-la para espiar a lua cheia, recordar do varal quando começa a chover, decorar uma música para surpreendê-la, sublinhar uma frase para guardá-la.

Sou doido, mas doido varrido. Bem limpo. Aprendi a usar furadeira e agora entro fácil em parafuso. Quero uma mulher imatura, que possa adoecer e se recuperar do meu lado. Uma mulher que me provoque quando não estou a fim. Que dance em minhas costas para me reconciliar com o passado. Que me acalme quando estou no fim do filtro. Que me emagreça de ofensas.

Não me interessa um tempo comigo quando posso dividir a eternidade com alguém.

Quero uma mulher que esqueça o nome de seu pai e de sua mãe para nascer em meus olhos. Em todo momento. A toda hora. Incansavelmente. E que eu esteja apaixonado para nunca desmerecê-la, que esteja apaixonado para não diminuí-la aos amigos.

O MAIOR SEDUTOR

O homem que passa protetor nas costas da companheira faz sucesso entre as mulheres.

O homem delira com as possibilidades de um protetor solar. Sonha ser abordado por uma desconhecida na praia. Ela deitada, sozinha e indefesa, com mínimas peças, implorando com voz rouca de telessexo:

— Por favor, não alcanço minhas costas, me ajuda?

Mas o mesmo garanhão não é capaz de atender ao pedido recém-feito pela própria mulher. Não sustenta nenhuma fantasia com quem já dorme. Faz a contragosto, com desleixo e obrigação. Realmente envergonhado da tarefa diante dos amigos. Esfrega ao invés de passar. Como se o creme branco e cheiroso fosse um rosado e pegajoso caladryl.

— Calma, amor, senão me queimo.

— Queimado está meu filme.

Não serão os movimentos imaginados e circulares de esponja, mas gestos econômicos e rudes de lixa. Deseja se livrar da incômoda tarefa o quanto antes.

Macho acredita que seduz somente fora do casamento. Quando se fixa demoradamente numa jovem, quando pisca o olho a uma estranha, quando dá em cima de uma beldade, quando examina a bunda de uma gostosa. Confia que flertar e soltar indiretas são suficientes para garantir seu domínio territorial. Sua tese é parecer disponível, ainda que comprometido.

O conceito masculino é esquisito, feito de verdades parciais. Há sutilezas inacreditáveis em seu raciocínio. Não enxerga problema em pular a cerca desde que não visite a casa. Alega que não tem segundas intenções, mas troca sorrisos abobados com terceiras.

Suas desculpas mudam de acordo com o contexto.

Grande parte dos varões erra na arte da conquista. A falha é reforçar a caricatura, confundir ficha corrida com reputação, cair na cilada de provérbios populares como "fama de rico e comedor não se desmente".

Carrego, portanto, a certeza de que o maior sedutor não é o malandro, não é o esperto, mas o monogâmico. O fiel. O que tem olhos apenas para a sua patroa.

Ele não pescará decotes mais profundos na vizinhança. Deslizará protetor em sua mulher, com calma oriental, comovido, o olfato sinceramente interessado. Acompanhará as mãos com o corpo. No fim, se aproximará dos ouvidos para sussurrar uma barbaridade. O arrepio feminino produzirá um maremoto de cangas nas proximidades.

Não precisa de mais nada para chamar atenção; toda a praia estará suspirando por ele. Abrirão uma comunidade no Orkut para homenageá-lo.

Nada mais ostensivo e perigoso do que um homem amando sua esposa.

Ninfetas, trintonas, lobas e septuagenárias vão se derreter por aquele barbado gentil e romântico. Vão concluir que ela é uma felizarda. Vão arrastar as pálpebras e tirar binóculos da bolsa para acompanhar detalhes de perto.

Diferente da piada, a fofoca nunca vem inteira, ocorre em capítulos:

— Meu Deus, ele puxa a cadeira.

— Repara como ele a acompanha nas caminhadas?

— Não desgruda um minuto da mão dela!

— Foi buscar água de coco. Não duvido que sirva café na cama.

A conclusão é que ele alcançou a glória, certo?

Não, ainda é uma decisão precipitada. O público feminino não se apaixona pelo homem, mas pela mulher do sujeito. Pretende estar em seu lugar. Ocupar sua posição. Desfrutar de igual admiração. O início do amor é sempre lésbico, depois é que pode ficar heterossexual.

Não custa avisar. Cuide de sua mulher antes que ela se interesse pela vida de outra esposa.

CASAMENTO COM CARTEIRA ASSINADA

Se o marido desfrutasse de carteira assinada, teria uma sobrevida. Não seria despejado de uma hora para outra.

Como técnico de futebol, receberia o indulto de mais uma partida. Ganharia um final de semana para se redimir das sucessivas derrotas. Sua esposa suportaria mais uma gafe, um erro, um tropeço antes de mandá-lo embora em definitivo.

Ela tomaria uma ducha fria, deixaria a despedida para depois e esqueceria o trauma. Contrabalançaria que seu companheiro assa um churrasco delicioso, é um bom pai e, de vez em quando, até acerta na cama. Concederia uma segunda chance, apesar da insatisfação da torcida. A trabalheira para arrumar um substituto surgiria como argumento decisivo para a manutenção da rotina.

Mas o homem não conta com repescagem. É logo posto na parede, constrangido a arrumar seus pertences e levar suas roupas em sacolas plásticas. Porque a mala, inclusive, é dela! (Não encontraremos humilhação mais severa do que sair de casa com sacolas de supermercado — até os sacos de lixo são mais elegantes.)

Na verdade, ambos — marido e mulher — precisariam de carteira assinada. Não me refiro a um 13º salário e pagamento de multa na demissão.

O modelo pode ser inspirado na empregada doméstica. O Vaticano somente não bancou a receita pelo conservadorismo de suas posições. Sem dúvida, é a saída messiânica. A indústria do divórcio iria falir.

A empregada tem o corpo fechado pela lei. Não é simples despedi-la. Após três meses ensinando tudo sobre a residência, começar do zero chega a ser um disparate. É perda de tempo. E tempo é dinheiro.

Minha empregada queimou uma camisa exclusiva de Ronaldo Fraga, comprada há duas semanas em seis prestações. Usei uma única vez e demorei a lavar de propósito (não podia pôr na máquina). Se eu fosse baleado, o estrago no tecido apareceria menor.

Ela não se desculpou, é óbvio, empregada não se desculpa, diz que não sabe de nada e continua suas tarefas. Juízo Final é a reunião de todas as empregadas do mundo, organizadas em escadinha num coro, para gritar: — Fui eu!

O diálogo é platônico. Ela se faz de louca e me puxa para sua loucura.

— Minha camisa está torrada.

— É mesmo, que horror, como aconteceu?

— Não sei, é você que passa a roupa.

— Eu não sei de nada, doutor.

Nem há como resolver o mistério da destruição, incrível o descuido, como que não percebeu a malha diferente, a estampa especial com histórias e bordados, a estranheza do vestuário?

É o mesmo que confundir carnaval com procissão de Corpus Christi.

Acha que eu a demiti? Claro que não. Quando encontraria uma cozinheira capaz de repetir a lasanha da minha infância?

Ela também quebrou um vaso etrusco, a única lembrança que recebi do inventário da avó. Talvez tenha sido a cauda jurássica do aspirador. Mas entrei em casa e não vi o objeto na mesa. Estranhei, considerei uma mudança sutil na decoração. Procurei pelos quartos, varanda, banheiro, e nenhum sinal do vaso de meio metro. Isso é a segunda característica marcante das empregadas: não avisam o que quebrou, somos condenados a descobrir.

Tentei puxar uma conversa, controlado, naquele tom familiar de rótulo de amaciante:

— O que aconteceu com o vaso?

— Foi o vento, patrão, a janela ficou aberta e ele caiu.

— Mas a janela sempre fica aberta, há dez anos fica aberta, e ele nunca caiu.

— Pois é, patrão, sempre tem a primeira vez.

Anuncio que vou enxotá-la para os filhos, menos para ela. Mastigo a raiva e não a demito novamente. Quando encontraria uma cozinheira capaz de preparar o bolo de fubá da minha infância?

A inversão de valores é drástica. Eu me arrependo depois de dois dias. Invento um passado para justificar minha covardia, ajusto a ocorrência, contemporizo que não foi tão grave assim; afinal, qualquer avó é capaz de ressuscitar, já contratar uma empregada exige muitas vidas. Torno-me o agressor, e ela, a vítima. Puxo seu saco de pó e dou um aumento salarial para que esqueça os acessos de fúria. Um dom da empregada é criar a dúvida a partir do silêncio carente, da reticência envergonhada. Faz com que a gente sinta culpa por falar a verdade.

O casamento deveria assinar a carteira. Não dispensaríamos quem amamos com facilidade. Não existiria separação pelo jogo de futebol com amigos ou por não descer com o lixo ou por não lavar a louça ou pelas distrações involuntárias. Seríamos perdoados em nome de nossas virtudes, ainda que poucas, ainda que raras. No momento da briga, não pensaríamos no pior de nossa companhia, mas pescaríamos uma razão qualquer, um motivo remoto, para a insistência. Mesmo que o estômago seja obrigado a cumprir o papel do coração.

ENTERRE-ME SENTADO

Meus primeiros beijos foram no cinema. Nervoso entre oferecer a bala ou os lábios, nervoso de segurar suas coxas ou ler as legendas. Meio de lado, meio de frente, inclinado para os dois caminhos. Na primeira tentativa, ela negava. Na segunda, ela negava. Na terceira, a dúvida já nos unia.

O sutiã é um cinto afivelado por dentro. Demora muita carne para chegar. Não vi os seios que toquei, minha mão viu e depois me contou. Não há nada nas árvores mais macio e liso. O mamilo era unha da neve. A unha que cavaria a minha vida. Meus melhores filmes eu não assisti.

O cinema foi minha praça. Meu portão. Minha cama. Meu carro. Minha iniciação. Aprendi a sussurrar no cinema. Aprendi a usar os cotovelos nas camisas femininas para pedir aproximação. Aprendi a embaraçar as pernas e não andar com as minhas. Aprendi a não ser igual no dia seguinte.

Posso estar doente, triste e enjoado, o cinema me acalma. Um tempo comigo, um outro ritmo, pouco a resolver. O cinema não me cobra decisões, não me cobra palavras. Ele respeita meu silêncio de ervas daninhas. Arboriza a barba com lã e quietude. Protege-me da chuva e dos ruídos do estômago. O cinema me cura da tosse, da covardia de morrer, da incompreensão do trabalho. O cinema é um hotel. Ao definir a poltrona, estou escolhendo um quarto.

Deixo o filme resolver o que estava desorganizado. O cinema segura o livro para mim. Não penso, pressiono o corpo no fundo da cadeira. O cinema tem o cheiro de mato, os cipós de centenas de sopros entrelaçados. Por um momento, sou amigo de todos que estão na sala. Respiramos juntos como uma orquestra. O violino abraça o violoncelo, a flauta avisa do perigo dos carros para o trombone. Os ouvidos vivem o suspense da caridade, a receber as moedas no chapéu.

O cinema me acalma, desde a bilheteria. O tapete vermelho como da casa antiga. Preso no chão como um lagarto, sou subornado a pássaro. Parto o pescoço para o alarido das imagens. E viajo acompanhado. Nenhuma ave viaja sozinha.

Desde o primeiro beijo, eu não consigo ir ao cinema sozinho. Não suporto uma alegria sozinho. Uma incompetência ao escuro, o ombro de minha namorada é o abajur que busco em segredo.

Preciso de uma mão mais do que o braço da poltrona.

REUNIÃO DANÇANTE

Nos anos 50, minha mãe bebericava poncho em suas reuniões dançantes.

Nos anos 70, minha irmã virava Martini com azeitona na discoteca.

Agora a moda é vodka e Red Bull nas baladas.

Estou somente comentando as drogas lícitas. Cada geração sofreu os efeitos colaterais do que consumiu antes da maioridade.

Peguei a safra mais careta do bar. Nos anos 80, eu bebia Keep Cooler nas festas de garagem. Não representava bem álcool, muito menos motivava a sair da timidez. Era o travesti de um refrigerante.

Guardo o gosto açucarado da bebida na língua. O kiwi é eterno.

Lembro que rendi piada para muitos colegas. Aos doze anos, amigos anteciparam que Cláudia estava a fim de mim, só eu não percebia. Fraudaram bilhetes que pousaram em minha mesa na aula. Estranhava a generosidade popular pelo namoro.

Quem não tem nada acredita em tudo. A guria veio para o meu aniversário. A turma batia em meus ombros:

— Parte em cima dela antes que seja tarde.

Ela estava com polainas e um casaco brilhante, uma combinação adequada para o brechó do período. Naquele tempo, a sensação era que todos usavam roupas emprestadas, colhidas ao acaso nas gavetas dos pais.

Suas franjas aumentavam as bochechas. Os brincos de argola esperavam aias para serem carregados. Ela tinha lábios carnudos, transparentes.

Na maioria das vezes, minha coragem foi emprestada. Eu me aproximei e a convidei para dançar. Esqueci que não sabia dançar. Achei que fosse fácil, mas na hora não conseguia cantar e coordenar os passos. Se tivesse que dançar o hino nacional esqueceria a letra. Alguns já esquecem mesmo parados. Ela indicava os pés, eu embaralhava os joelhos. No fundo do quintal, com um globo improvisado de luzes, remexia num ritmo que somente eu ouvia. Distorcia, arranhava o compasso.

Demorei a me aproximar do pescoço de Cláudia, mais ainda para segurar sua cintura. Depois de um longo e silencioso ecoturismo em suas costas, tomado da respiração balouçante, arrisquei um beijo. Pulei como um cego ao seu rosto. Ela colocou as duas mãos em meu peito e pediu distância. Qualquer um entendeu como um empurrão.

— Não quero qualquer coisa contigo, Fabrício, somos amigos.

O fora surgiu no fim da música. Exatamente no último acorde. Sua voz ecoou pelo corredor, como um playback desmascarado.

A roda de impostores ria aos berros. Acompanhava nosso giro, torcendo pelo movimento de repulsa. Encarnei aposta, sofri zombaria e, por culpa do Keep Cooler, não perdi a ingenuidade.

É um vício necessário. Talvez o que faço melhor. Fico pronto para me despedaçar.

Não estou sozinho. Recebo companhia a cada minuto na nau dos insensatos.

No amor, em algum momento, você terá que ser ingênuo e acreditar. Terá que largar uma vida, refazer sua vida. Terá que abandonar a filosofia pessimista, a inteligência solteira do botequim e se declarar apaixonado. Terá que ser incoerente, contradizer fundamentos inegociáveis. Terá que rasgar a certidão negativa, a proteção bancária, os manifestos de aversão ao casamento e filhos.

Não dá para ser esperto sempre. Não dá para ser experiente sempre. Don Juan e Casanova também se quebraram. Napoleão e César também foram derrotados na intimidade. A ingenuidade é um poder terapêutico. Nada pode ser mais traumático e mais libertador dos costumes. É um instante definitivo e raro no relacionamento. Quando confiamos que será diferente, que somos eleitos por uma constelação de símbolos e casualidades, quando desistimos das armas e das reservas para nos apresentarmos absolutamente disponíveis e vulneráveis. Não há mentiras e formalidades, frases espirituosas e comentários sarcásticos. Há apenas uma burrice infindável, o beiço e a intenção de se entregar para uma mulher, seja como for.

Pena que a ingenuidade tem que acabar mal. Caso contrário, não é ingenuidade, é sabedoria.

UMA COR AQUECIDA

Estender a roupa me tranquiliza.
 Quando era casado, carregava a bacia azul ao terraço, destrançava os varais vermelhos e encarava o sol até espirrar, para descobrir sua longevidade. Sem espirro, o sol durava pouco. Lição do interior que não esqueci.

Depois do rosto transtornado pela luz excessiva, iniciava a peregrinação das mãos pelos ganchos. É um teatro de bonecos. A volúpia do inútil: abrir os prendedores e compor um tabuleiro de pano no alto de mim. Caprichar na combinação, assim como quem vestirá as roupas. Não prender as peças aleatoriamente, para terminar o serviço de uma vez. Distribuir as cores. Procurar uma harmonia, mesmo que seja para os olhos dos pássaros. Avizinhar o verde do marrom do amarelo, tal pintor que compõe a tinta na paleta e descobre variações da mistura.

Sou sempre uma saudade lembrada. Prolongava uma alegria infantil e ingênua, que vivia na semana festiva de São João na escola. Era um pequeno aluno disposto a preparar bandeirinhas de jornal e têmpera, e cobrir o céu da sala.

Acreditava que estava fazendo um favor, dando conta de uma das tarefas da casa. Antecipava-me à preocupação da mulher de secar o mais rápido possível o uniforme do filho.

Primeiro, o figurino das crianças. Depois, o dela. Por último, as minhas calças e camisas, muito mais numerosas do que a soma das anteriores.

Ao recolher, passei a estranhar a posição das roupas. Estavam do lado virado que as deixara. Confiei numa casualidade, desconfiei em seguida. Não poderia estar distraído a ponto de alterar as tradicionais pegadas das unhas.

No dia seguinte, escondido no vão da porta, após ter completado a pilha cedo, vejo a mulher arrumando uma por uma das peças no princípio da tarde. Desembrulhava os jeans do avesso, mudava a posição das mangas, clipava as pontas bem diferentes do que havia esboçado. Ela me corrigia silenciosamente.

Eu estendia no café da manhã, ela estendia de novo no almoço. Trabalho dobrado, sem me censurar ou cobrar. Nunca me retorquiu, apenas agradecia com um beijo, fingindo que acertava. Tampouco eu disse alguma coisa. Mantive o segredo e meu modo errado de esticar os tecidos.

Como um corpo na areia da praia, nossas roupas tomavam banho de frente e tomavam banho de costas. Parelhas no bronzeamento. E no cuidado.

DOIDEIRA DESCARTÁVEL

Tomo um porre e não lembro nada.
Depois de toda bebedeira, adoto essa desculpa, mas me lembro de tudo. Sempre me lembro. Até do que não vivi, guardo intactos os dilemas um pouco antes da atitude. Lembro com quem transei, como transei, a cor da calcinha dela, da arruaça que aprontei na festa, da minha dança vampiresca no balcão do bar que assustou quem jurava que me conhecia. Lembro que estava especialmente desafinado no karaokê, que trocei de um policial, quase fui preso, que mijei num hidrante pensando que fosse uma árvore, que beijei aquele boneco de vento do posto de gasolina.

A amnésia é uma invenção moral. Para evitar constrangimentos, para prevenir explicações, que são a parte cansativa da aventura. É totalmente irritante o inquérito após a embriaguez: dizer o quê, como, onde, para quê?

A convenção se consolida na adolescência quando os pais perguntam como estava a festa enquanto o banheiro exala um cheiro familiar e terrível de vômito. Não estão perguntando sobre a festa, doce ilusão, mas sabendo do estrago e testando nossas histórias.

Desde lá, desprezamos as reminiscências pela resposta consensual e simpática: não me lembro. O assunto termina ali. Todos acreditam porque também possuem coisas terríveis para serem esquecidas em seu passado. É uma troca: não lembram o que fiz e eu não lembro o que fizeram.

Às vezes, gostamos de beber mais da conta, para a mentira ser menos mentirosa. Raramente o excesso funciona. Pode estragar o corpo, não a memória. Somente me esqueço em coma alcoólico — e olhe lá.

Mais simples alegar que perdemos os arquivos, que o disco rígido foi corrompido. Se a gente diz que recorda, haverá algum chato perguntando o motivo de tanta agressividade. Há uma crença de que ninguém se destrói sem motivo. Bobagem. Eu me destruo para encontrar um motivo.

Somos cínicos, não ingênuos. O cinismo é uma ingenuidade perversa.

Talvez seja uma prova de companheirismo, para os amigos descreverem nossas peripécias com detalhes, como se a gente não estivesse presente e as circunstâncias fossem inéditas.

A graça da brincadeira é simular o total desconhecimento dos últimos instantes da própria vida. Comenta-se com ceticismo: "Não entendo onde estava com a cabeça."

Os amigos adoram editar nossos melhores piores momentos. O curioso é que ninguém é louco sem testemunhas. As mais cruéis bebedeiras partem de um cenário planejado. Carregamos os fiéis escudeiros a tiracolo, para assistir à desintegração da personalidade. Premeditamos, portanto, o vexame. Isolados da audiência, apenas choramos e manchamos o travesseiro. A dor é palhaça quando desfruta de público e se sente segura entre conhecidos. Analisamos o lugar da queda, para verificar se é confortável, e se haverá pessoas do bem para nos amparar e nos carregar no colo. Não é assim?

Diria que o exagero é calculado: não acontece quando somos estrangeiros numa balada. Não é inconsequente como ousamos alardear. A explosão não se desenrola à toa, ao léu; surgirá em locais prediletos e já frequentados. Olharemos as portas de incêndio para atear fogo na garganta.

O bêbado é uma agência de notícias. Não lhe interessa beber, porém ser visto bebendo. Não é didático, é redundante. Avisa que vai beber todas. Em seguida, avisa que está bebendo. A cada copo virado, nos mantém informados de que está bebendo mesmo. No decorrer, vai concluir que está bêbado, aciona o saquinho de risadas do bolso e não para. Mesmo bêbado, continuará bebendo para reforçar que está bêbado.

Desesperados são os que liquidam a garrafa, solitários em seu apartamento, longe de qualquer encenação. Os exibicionistas etílicos não passam de carentes.

A embriaguez seguida de desmemória é uma armação. Desconfie. Queremos enlouquecer um dia, não manter a loucura durante a semana. Trata-se de uma doideira descartável, como seringa, camisinha, absorvente. Aprontamos e nos aprumamos rapidamente para seguir o trabalho e continuar encarando o chefe. A onipotência não está em fazer, mas em fingir que ninguém viu e que não lembramos.

O esquecimento não é para qualquer um. Tem que merecê-lo.

PRATINHO DO VASO

Entrei numa floricultura para comprar pratinhos de vasos.
Três pratos. De diferentes cores, de azulejo e barro.
O vendedor me considerou excêntrico pela modéstia do apelo. Procurou enfiar orquídeas olheira abaixo, recusei os arranjos coloridos. Como uma abelha que não larga a luminária pela obsessão do sol. Logo me dispensou para o caixa, viu de cara que eu não tinha potencial aquisitivo. Ele apressou a interrogação do "só isso?" e logo fechou a encomenda.

Estamos tão consumistas que nos desculpamos por comprar pouco (ou nada). Imagina o atendente perder tempo com a gente? Gentileza hoje é comissão. Idêntica culpa diante do motorista de táxi com a corrida curta. Quase suplicamos por favor, se ele pode nos levar. Não há mais pobreza genuína no mundo, unicamente pobreza disfarçada. O cartão de crédito fantasiou a miséria.

Não receio pedir pouco. O pouco é que me basta. O pouquíssimo transborda.

Eu me sinto essencial lembrando o desnecessário. Ouvindo o suspiro dentro do vento.

Ninguém dá valor ao pratinho das plantas que racha na mudança de lugar e não é reparado, muito menos reposto. Eu não vivo sem eles. É como faltar talheres para um membro da família.

É o pratinho de vaso que me mantém acordado. Deslumbrado pela sua fugacidade. Porque amanhã terei que me lembrar novamente. E depois de amanhã. E sempre.

O amor é o que não lembramos para continuar lembrando. Como pedir ao filho para escovar os dentes ou insistir que faça os trabalhos de casa. Todo dia será exaustivamente igual: é uma atenção renovada, não exclusiva. Uma dedicação nula. Uma devoção secreta que não traz fama e reconhecimento. Coisas simples que não podem ser contadas ou glorificadas durante a semana. Que são apagadas no mesmo momento do ato. Não irei ao bar proclamar aos colegas que dobrei as calças antes de sair e organizei as camisas pela antiguidade.

É o que me põe apaixonado numa mulher: o pratinho do vaso. O que é sem graça, o que somente protege, mas que é confidente das raízes. O quanto ela é capaz de estar ao seu lado sem que necessite imortalidade. O quanto me torno observador das inutilidades. Falei inutilidades, pois é, não errei a digitação, quem ama conserva as inutilidades. Os interesseiros e ambiciosos guardarão as informações essenciais como nascimento e medidas. Veja se um homem a quer quando se interessa por aquilo que não gera interesse. O fútil é o fundamental. No momento em que o desejo não descobre o que é importante e preserva tudo.

O pratinho do vaso do relacionamento está em saber o xampu que ela usa, o restaurante preferido, o doce da infância, sua mania de comer aipim com mel, o azeite (não é qualquer um), as perguntas que detesta ouvir, como ela gosta de amassar o travesseiro, de que modo escolhe as roupas: se nua ou já com a lingerie, quais os insetos de que tem medo, o que não pode deixar de assistir na tevê, o drinque preferido, os amigos da choradeira, os amigos do riso, o que toma no café da manhã, qual a fruteira de sua confiança.

O pratinho do vaso é o que fica da tempestade. Não tinha como explicar ao vendedor. Ele é que conhece as flores.

SENTIMENTAL

Guardo ressalvas ortodoxas. Nunca botarei cinto e sapatos brancos. Nem colarei adesivo de Betty Boop na traseira de meu carro.

Antecipo meus preconceitos. Mulher palitando os dentes teria que usar burca.

Já me sinto aliviado ao confessar. Meu temperamento era mais complicado. Eu me vejo avançando, atingindo uma flexibilidade nos costumes que não percebo nas articulações dos braços.

Até acredito que poderíamos relaxar mais. Iniciando pela casa.

Toda residência solicita um detalhe de espelunca. Um objeto inexplicável em cima do armário. Uma mandala que não combina com os bibelôs franceses. Um pôster do Michael Jackson junto às telas de tinta a óleo. Um brinquedo de Kinder Ovo ao lado da cristaleira. Extraviei a vocação conciliatória. Carrinhos de madeira com emblema do Inter dividem a renda da mesa com bonecos mexicanos. Conservo miudezas e trastes que nunca serão disputados num inventário.

Existe algo mais brega do que pregar espelho na porta para afugentar maus espíritos? Pois é o que faço. Funciona melhor do que um olho mágico. Muitos desistem de apertar a campainha.

Encontro harmonia no cemitério, encontro vazios no museu, casa é um espaço altamente contraditório. Não colocarei as incoerências nas gavetas. A vida é curta demais para ter sentido.

O bom de ser pobre é que tudo tem um lugar, mesmo na carência de espaço. Os presentes vão aterrissando, qualquer que seja sua origem, e têm um encaixe imediato nas estantes. Nenhum penduricalho é jogado fora, não importa se é estranho, esquisito, esdrúxulo, o que vigora é o valor emocional. Há um cuidado em preservar o gesto acima da utilidade ou do preço do produto.

O desastre de ser rico é que nada tem um lugar, mesmo com a sobra de espaço. Qualquer utensílio reivindica um estudo do decorador ou do arquiteto. Os casais mergulham numa discussão filosófica sobre a pertinência de uma escultura. Tanto que o rico somente compra terreno na praia para desovar todos os presentes preteridos em seu lar.

O amor deve prevalecer sobre a decoração. Não é saudável estar tudo certo, tudo adequado, tudo arrumado, tudo combinando. Réplicas da Indonésia merecem a companhia engraçada e saudável de um pinguim feito pela filha. Eu sei o significado daquilo, mais ninguém.

Relaxei com a neurose da ordem. Quando solteiro, sonhava com salas limpas, ventiladas, com cada objeto ecoando o estilo dos demais. Não suportava a intrusão de novidades. Não tolerava penetras de plástico, que não tinham, no mínimo, a idade de meu pai. Lojas de 1,99 me causavam pânico.

Com o nascimento de minhas crianças, os limites desapareceram. A sala virou um chiqueiro, com telas de proteção e portinholas nas escadas. Brinquedos apareciam no sofá, chocalhos estrilavam entre os livros, bicos germinavam debaixo das mesas. Eu me abri para as delicadezas cafonas.

Ao receber um ursinho da namorada, não incinerei a pelúcia no primeiro churrasco. Não sofri vergonha dos amigos. Não me abalei se sacrificava a macheza da tenda árabe da cama. Nomeei o animal como guardião dos porta-retratos do quarto.

Estou numa fase sentimental. Acendo lembranças nos corredores, cada janela é um santuário. Nenhuma neutralidade me seduz. Desisto de ser chique enquanto a ideia permanecer como sinônimo de falta de personalidade.

BATENDO PANELAS

Desentendo as panelas.
Misterioso o sumiço de suas tampas. Uma sina de guarda-chuva, de luvas, de meias, de canetas, das palhetas de guitarra. Somem sem bilhete de suicida. Escapam de seus pares. Desertam do exército.

Vou procurar a panela debaixo da pia e não cato seu complemento. Os encanamentos rindo de mim, espumando detergentes. Arrumo, desarrumo, e nenhum vestígio. E já tenho que improvisar um novo chapéu, que é maior do que a borda. O conjunto termina desengonçado tal funil na cabeça do homem de lata. E depois não procuro mais, ressentido com o quebra-cabeça incompleto.

Ainda deveria ser feito um estudo da falta de fidelidade das panelas. Por que elas não são monogâmicas?

Diferente do caderno de capa dura, pautado pela lealdade. Lembro das aulas em que tinha que arrancar a folha para repassar ao professor no final do período. Não imaginava que ele exigiria a correção. O dilema posto na mesinha verde: ou entregar ou ficar sem nota. Triste o sacrifício, o capricho violado, o esforço de pontilhar o corte, reduzir o estrago usando régua ou um livro como apoio. Eram folhas duplas, rasgar uma significava comprometer a costura, deixar solta a folha no outro extremo, afrouxar a cintura do conjunto, corromper o elástico. A ilha da tinta desapareceria no mar. Não duraria nem mais um mês.

Minha memória não é a de um caderno de espiral, para distribuir e censurar as confissões, mentir sua extensão e abreviar o conteúdo. É de um caderno capa dura. Não consigo apagar uma lembrança, mesmo que seja dolorida ou humilhante ou os dois. Muito menos alterar seu número de páginas conforme as necessidades da relação. Não sou de riscar o que aconteceu para parecer mais maduro, ou eliminar as contradições e simular coerência. Inclino-me a conviver com as rasuras e insatisfações. O branco do corretivo sempre me irritou mais do que a mancha violeta. Alterar é disfarçar a carência. Alterar é fingir o que não foi vivido, antecipar o que não era hora. Falsificar-se compulsivamente.

Não irei me vingar com as cinzas, arrancar as folhas que não combinam comigo, ou que me provocaram decepções. Não serei visto queimando fotografias, cartas e paixões numa lata de lixo, apenas porque não me servem mais. O que namorei vai me enamorar a vida inteira. Estará lá numa página definida, permanente, com a letra segurando as linhas.

Todos os meus erros são esperançosos pela releitura.

FALO SÉRIO

Briguei feio com meu melhor amigo. Fiquei ofendido. Não desejava esse fim para uma amizade de infância. Lamento o trincar do copo de uísque. O rebentar da corda do pião.

Mas o que fez não tem cabimento.

É que Mário Corso não conta nenhuma briga com sua mulher. Nenhum desentendimento com Diana. Nenhuma fagulha, rusga, faísca. Não conta; como vou confiar em quem está acima da maldade? Como posso garantir que ele é sensível?

Quem é perfeito é insensível, penso. E já quero reatar a amizade porque sei que somente ele entenderia essa frase. Mas tenho que me controlar.

Metade da conta no celular e dos gastos em bares decorre de minhas lamúrias para ele. Narro meus dramas amorosos, desfio comentários perversos, peço conselhos afobados, confidencio o quarto antes mesmo de abrir as cortinas. Tudo impulsivo, água barrenta, sem filtros. Na confissão, há a umidade dos restos de comida. A remela dos olhos. Segredamos o pesadelo ainda dormindo.

Não que seja aquilo, é a emoção daquilo. Amigo que é amigo não tem banco de dados. Queima os arquivos. O que se comentou de uma mulher será esquecido no dia seguinte. Para o bem da relação.

Não venho desmerecer sua grandeza epistolar. Só que é bom demais para ser verdade. Dependo de uma gafe dele para não me enxergar conversando com meu pai. Um tropeço para não me penalizar com arrependimentos. Um insulto para relaxar e reaver a vontade de continuar praguejando.

Não suporto a falta de igualdade. Até na sessão dos Alcoólatras Anônimos todos devem desabafar seus problemas e vícios. Por que ele não?

Seu exemplo invicto me aniquila. Passo a duvidar dele para me perdoar. Se confiar que é realmente assim, que não existe uma incompreensão em seu casamento, assumo sozinho as despesas da maldade. Não me restará fiador.

Mas ele não abre a voz. Sua palavra é como eucaristia, evita morder, amolece no céu da boca.

Não partilha dessa cumplicidade masculina. Eu explodo, ele cala. Vou detalhando cenas, expondo as vísceras, sangrando, e não retribui com algum incidente vergonhoso.

Ele me isola: deveria inventar se fosse o caso. Ele me empareda: assemelho-me a um difamador. Um amargurado. Um encrenqueiro.

Não é justo. Corso banca o anjo do samba-canção, veste terno de linho branco com um cravo na lapela. Longe das raízes, a flor é uma gravata insuportável.

Parece que não se incomoda com a vida, que não se recusa a pôr a mesa, a lavar os pratos, a levar o lixo. Seu controle samaritano me enerva.

Cadê suas ofensas domésticas? Sua oposição?

Ele está me constrangendo ao silêncio. Claro, sugere que estou incomodando, atrapalhando, que não suporta ouvir de novo a mesma história.

Eu ameacei Mário Corso. Lancei um ultimato.

"Discuta hoje com sua esposa e depois me ligue, senão não sou mais seu amigo."

INFIDELIDADE MASCULINA

O homem é capaz de guardar segredo. Verdade! Pois guarda segredo somente quando não o descobriu.

Vou entregar uma das manifestações mais secretas de infidelidade masculina. Quebrar um voto de máfia, de pacto de vestiário, de mindinho sangrando. Romper um juramento de boteco.

Peço proteção à testemunha nos próximos dias.

A mulher jura que o marido está aprontando quando ele troca de perfume, um sinal de mudança de personalidade. Logo ele que cabulava o desodorante. Lamento: não é.

Acredita que ele pulou a cerca quando compra cueca nova, ao exibir um zelo perfeccionista com sua intimidade. Logo ele que saía com ceroula debaixo da calça ou com as peças do inverno retrasado. Lamento também: não é.

Especula que repousa nas pernas de outra quando troca o vovô-vovó e o papai-mamãe por acrobacias sexuais do Cirque du Soleil. Lamento de novo: não é.

Assim como não são suspeitas do desamor o excesso de reuniões, os telefonemas recebidos por engano de madrugada, a falta de apetite para comer na casa materna.

Não representam provas de maldade conjugal dormir nu de repente, renovar o guarda-roupa, reencontrar colegas da pré-história.

Não simboliza ameaça à integridade da relação não largar a correspondência virtual ou colocar o celular no silencioso.

Parecem indícios contundentes, mas são desculpáveis. Têm justificativas.

Um homem está traindo quando lembra de cortar as unhas dos pés.

Não há mais como contornar a crise.

Se ele apresenta as unhas arrumadas quinzenalmente, lixadas, alinhadas, é que anda frequentando motel. E usando chinelos com uma vagabunda. Vem nadando no aquário da hidromassagem, estendendo as panturrilhas em direção ao espelho do teto. Nem precisa perguntar. Pode afogá-lo no tanque da lavanderia.

Macho fiel não apara as unhas dos pés. Somente obrigado. Desde a infância é desse jeito, uma tortura, a mãe o perseguindo pelos corredores ao verificar que empilhou vidro na pele durante meses e endureceu a sola.

Macho fiel esquece que tem unhas nos pés. Esquece inclusive que tem pés. Ostenta um par peludo, selvagem, intratável. A unha ficará comprida como se tocasse violão com as pernas. Enorme. Canina. Garra superando a condição gelatinosa das unhas. Para furar a lã da meia. Para pregar o tênis por dentro. Parafuso de caixão. Tarraxa de mural. Uma caixinha de ferramentas herdada do pai.

Macho fiel não tem tempo de poda. Não vai se distrair com as esporas das botas. Com essas miudezas estéticas. Com pormenores corporais.

Macho fiel não põe seus dedos rupestres e hirsutos em bacia quente. A cutícula é idêntica ao parto. Quebra, racha, fende a unha.

E se ainda deixar sua mulher cortar, após louca insistência, daí prova que é homem caseiro e inofensivo. Sem nenhum perigo. Nem para a própria esposa.

INFIDELIDADE FEMININA

Não sei se as mulheres sabem trair melhor os homens ou eles são tão ciumentos que não escolhem os verdadeiros indícios.

Certo é que os homens são precipitados, revelam suas escapadas para tentar, inclusive, salvar o casamento. Ficam engatilhados com o pecado, ansiosos, esperando o primeiro cutucão do silêncio para disparar a confissão (o negócio é deixar a televisão sempre ligada). As mulheres só revelam como um ultimato, quando estão dispostas a terminar de vez com o casamento e não acharam nenhuma maneira cortês de mandá-lo embora.

O homem é corno desde o ventre, quando perde a exclusividade de sua mãe. Depois resta como consolação ser manso ou ativo.

Por prevenção, repasso dicas para se manter atento às investidas dela.

As traições femininas costumam irromper no ambiente de trabalho. Com a falta de tempo, o entusiasmo sexual se revela pela cumplicidade profissional. Não será muito longe do escritório. Ela vai começar a elogiar uma parceria, dedicar-se a um projeto com uma disposição sobrenatural, tomando as horas de lazer e os finais de semana. Não falará de outra coisa e se penalizará diante do término da sexta-feira. Pode esquecer a sesta. Qualquer reclamação de sua parte cairá mal, como ciúme da independência dela. Não há o que palpitar, todo comentário correrá o risco de ser enquadrado como machismo.

Diante da inoperância de sua reação, ela vai elogiar o sujeito daquela parceria, destacar o raro entendimento dos problemas, a afinidade de preferências e escolhas.

Entrou no jogo de insinuações, sem nota fiscal. Tipo assim: você não é aquilo que ele é.

Controle-se, ainda não é oportuno meter o bedelho, apesar de perceber que o cara se tornou assunto obrigatório e referência constante nas conversas. Deve compreender que ele levantou a estima de sua parceira e, por consequência, possibilitou sua sonhada liberação para o futebol. É um amigo, coloque na cabeça, não é elegante isolá-la das amizades heterossexuais. Soa como tirania. Precisa confiar. Cuidará antes da úlcera que surgiu, sem explicação nenhuma, na última semana. Volte para a academia e tome menos café.

O próximo passo é definitivo. Num jantar prosaico, com o claro objetivo de relaxar, ela criticará abertamente a namorada dele com uma paixão incomum, unicamente vista no início da relação de vocês. Comentará defeitos, exemplificará cenas de descaso e abrirá detalhes estranhos do convívio dos dois. Em seguida, sentirá uma coceira na garganta: "Como ela conhece tanto?" A coceira atinge a úlcera que não teve tempo de curar: "Será que ela confidencia o mesmo de mim?"

Duro aturar o processo, mas permaneça tranquilo, enfrentou o pior com dignidade; ela não dirá mais nada pela frente. É o momento de procurar ajuda. Ou porque ela o está traindo ou porque você está seriamente paranoico.

"OU ENTRA EM TRATAMENTO OU TERMINO O NAMORO"

A infidelidade já não é um problema, e esse é um problema. Tudo é normal, ou nos normalizamos rapidamente com qualquer coisa, a tal ponto que não existe anormalidade.

Ter uma iniciação sexual com cabra, participar de swing comunitário, revelar seus desejos por uma cicatriz na perna; nada mais assusta. Nada mais é motivo de pânico e debate para fechar um bar. O cineasta Walther Hugo Khouri não acharia mais nenhum tema para polemizar. Morreu antes dos tabus entrarem em crise criativa.

Depois do sexo livre, da amizade colorida e do mergulho na lama, a monogamia virou um preconceito.

Os terapeutas, psicólogos e psiquiatras ajudaram a tornar o dia a dia viável. Em contrapartida, as próprias traições. Óbvio que eles não têm culpa disso. Ninguém deve guardar culpa de nada.

A moral agora é não sofrer com a moral, o que parece um paradoxo. Temos que nos aceitar como não somos.

Você trai, logo confessa para o terapeuta e se acostuma com a ideia. Busca capturar o motivo de pular a cerca — aprende que não importa o resultado, o propósito é descobrir a origem da compulsão. E pula a fazenda inteira para respeitar a naturalidade das suas atitudes. Mergulha numa nova fase: a palavra alivia o silêncio; lavou na palavra, está novo.

Antes os casais se traíam para procurar uma satisfação que não encontravam no casamento. Hoje você pode estar satisfeito no casamento e ainda trair. O prazer em dia não é o bastante para segurar o amor. Os pares querem fantasias. Há uma obrigação pelas fantasias. Quem não tem uma fantasia exótica fora de casa não é moderno. Quem não tem uma fantasia extravagante fora do corpo não é pós-moderno.

E fantasia não é planejada. É na hora, do jeito que vier, pelo desafio, no calor da casualidade. Quanto maior a surpresa, maior o arrebatamento. A fantasia é incontrolável, contrariando em cheio o voto e o esforço de um casamento. Fácil de ser justificada; basta alegar que foi um disparate, uma atitude impensada. Não tem que prestar contas e cuidar do reencontro. Essencialmente provisória.

Um amigo, por exemplo, acabou pressionado pela namorada a resolver sua obcecada canalhice. Não admitia a fragilidade dele nas noitadas, os olhares lânguidos por baixo dos panos e das pálpebras, os esbarrões involuntários e o papo fiado com a mulherada nos corredores. Levantou a bandeira: ou entrava em tratamento ou ela terminava o namoro. Apaixonado, ele desistiu de sua desconfiança com o consultório.

Ao invés de trair menos, passou a trair mais para arrumar assunto com o terapeuta.

AMBIGUIDADES

Encontrei meu amigo no avião, estava de escala, já com o cinto e a cara de quem comeu duas vezes o bolinho de chocolate e não suportava mais o serviço de bordo.

Ficou uma poltrona atrás, tentamos engatar uma conversa das últimas notícias da última década. Mas os passageiros ao lado pareciam interessados em acompanhar o assunto e nos calamos. Sempre que alguém pega uma revista para ler é que vai fingir que não está ouvindo. A revista é o headphone dos curiosos.

Fábio questionou se eu havia me separado mesmo. Sim, respondi, com a tranquilidade treinada de um suicida.

— Precisamos pôr o papo em dia.

— Ok, quando pousarmos em Porto Alegre, tomaremos um café, que tal?

Depois de enfrentar um aeroporto enlouquecido com o feriado, pedir mais licença do que em maternidade, aquietamos as malas na lancheria.

Seus olhinhos eram lantejoulas de carência. Ele me narrou o seu divórcio, o quanto experimentava uma encruzilhada.

Amava sua mulher, mas não conseguia superar o fim da paixão por um sentimento mais calmo. Permanecia ligado na arrebentação, naquela loucura de se exibir em todo momento. Sofria para aceitar a serenidade do mar.

— Mas o mar está mais profundo agora, melhor de mergulhar, não reparou?

Ele entendeu, assentiu arrumando a franja, e elogiou a cumplicidade com ela, comentou as recaídas, afirmou que basta encontrá-la e toda intimidade volta. Só não viajou à França para resolver primeiro o impasse, que faz sala dentro dele para ajudar o retorno.

Confessou sua insegurança, que atualmente os dois moram em cidades diferentes, que tem medo dos casos dela, de perdê-la em definitivo.

Eu fui me sentando nos cotovelos, deliciado com a declaração de amor. Lia novamente Sabrina, Júlia e Bianca. Agora não mais escondido no porão. As fotonovelas corriam em balões apanhando suas palavras.

Um homem é capaz de amar verdadeiramente, pensei, e fui afrouxando o nó da gravata, me avaliando incapaz, troglodita, amaldiçoado de pessimismo.

Passei a perguntar apenas para que ele continuasse a falar. Admirava sua coragem.

Fábio concluiu que se separou porque não acreditava que poderia ser melhor, antecipou o término como forma de prevenir o despejo. Não tolerou sua decadência.

Tanta decência. Tanta honestidade. Logo orientei que deveria apostar na história. Não adiar mais.

Ele concordou, desistiria de enganar a saudade. De sofrer em segredo, pois sofrer já vinha se tornando um segredo.

Descemos a escada rolante pacificados, resolvidos. As chaves no bolso esquerdo e as moedas no direito, como homens organizados. Agradeceu meus conselhos, fundamentais para sua decisão, e adiantou que seria o padrinho da reconciliação e me convidaria para jantar.

Ao nos dirigirmos a um táxi, eu o vi cumprimentando uma amiga na fila. Aproximou-se de meu ouvido e me explicou:

— Ainda terei um rolo com ela.

QUANDO O PAI ESQUECE O FILHO DO PRIMEIRO CASAMENTO

Um homem que se finge de burro é mais burro do que um burro honesto.
O que me dói é ver um pai casar de novo e esquecer o filho do primeiro casamento. Esquecer. Nenhum cartão de Natal ou presente debaixo da lareira.

É que ganhou um herdeiro do segundo casamento, está envolvido na escolha do enxoval, no anúncio do jornal, em fumar charuto com o sogro e com aquela vaidade suprema de ostentar para sua esposa que é experiente e sabe segurar a criança.

Ele apaga a casa anterior — com o que havia dentro dela — e se apega à casa recente. Entende que sua criança ou adolescente cresceu o suficiente para não depender mais dele. Nenhum filho cresce o suficiente para ser órfão de repente, não importa a idade.

Aquele filho a quem amava e criava com zelo, a quem aconselhava e trocava as fraldas passa a existir somente como uma pensão, uma linha do seu contracheque. Não pergunta.

Não telefona. Não se encontra fora de hora. Está muito ocupado criando um bebê. O que dá para entender é que ele não ama o filho, mas a mulher com quem se encontra no momento. Faz qualquer coisa para agradá-la, inclusive negar a paternidade do primeiro casamento.

É do tipo ou tudo ou nada, ligado à figura masculina patriarcal, que oferece e tira conforme suas vantagens. Não é bem um pai, mas um latifundiário emocional, desconfiado, sob permanente ameaça de invasão de suas terras.

Mãe é diferente, sempre se elogia quando menciona seu filho. Mareja os olhos ao mexer na gaveta das camisas, coleciona bilhetes e desenhos, inventa uma porção de neologismos no abraço. Não se guarda para depois, para um melhor momento; está disposta a conversar pressentimentos e costurar recordações.

Pai costuma se omitir no momento do desabafo. É comedido demais para estar vivo. Troca de personalidade, de residência, de amor, o que precisar, no sentido de prevenir a sobrecarga de problemas. Para namorar, ele some por meses (exatamente o contrário da mãe, que administra o final de semana com o apoio da babá e da avó). Homem ainda não conseguiu conciliar sua vida profissional com a afetiva. Não é capaz de unir nem a vida afetiva pregressa com a vida afetiva atual. Cuida de um afeto por vez.

Pai não forma sindicato, não cria associação. Continua defendendo que ninguém tem o direito de se meter na vida dele e converte em inimigos os amigos que insinuam sua indisposição filial.

Ele se separou de uma mulher, não do seu filho, mas culpa o filho porque não consegue completar uma frase com a ex.

Parte do princípio de que ajudando o filho está ajudando a ex. Gostaria de matá-la, mas então se mata para o filho.

Ou entende que seu filho deve procurá-lo, cria paranoias e neuroses para aliviar sua culpa. Age como um ressentido, fala mal do filho do primeiro casamento para a mulher do segundo casamento, alegando ingratidão. E a mulher do segundo casamento concorda com o absurdo porque está preocupada com o nenê e deseja a exclusividade do marido. E não entende que um irmão depende do outro irmão, que uma família não cresce por empréstimos.

Homem tem que aprender a sofrer em público, sofrer por um filho o que sofre por uma dor de cotovelo, apanhar das cólicas e da coriza, desabar numa mesa de bar, beber interurbanos, fechar a rua e o sobrenome para encurtar distâncias, chorar nas apresentações escolares, fingir abandono a cada despedida, para só assim mostrar que pai, pai mesmo, nunca será dispensável.

EFEITO JACARÉ

Toda relação tem um efeito Jacaré. Ele engole pessoas ainda vivas. Tritura amores. Cuidado.
Fui procurar uma meia na lavanderia de minha namorada. Achei um saco de brinquedos. Num canto. Mexi com o tato: hélices, bonecas, corda de pular, quebra-cabeça.
— O que é isso, Cínthya?
— O quê?
— Esse saco de brinquedos aqui atrás?
— Peças do meu consultório antigo, quando atendia crianças.
Observei o estado de abandono das peças, exalando a condição de trastes empoeirados e sem uso. Retirei todos para espiar se localizava algum fetiche de minha infância. Virei a lona no chão e já não me importava que estava descalço. Do pântano, saltou um jacaré. Bonito, de borracha, do tamanho de uma tábua de passar.
Pulei de faceirice como quem reencontra um par de luvas. Combina com a minha estante, pensei. Vou colocar na ala infantil, chamará atenção.

Naquele momento, eu me fardei de pet shop. Levei o bichinho para lavar. Retirei as manchas, a sujeira, esfreguei suas escamas, ainda me dei ao luxo de aquecê-lo com o secador.

O jacaré rejuvenesceu, já era um filhote de jacaré. Lustrado. Cintilante.

Na sala, comuniquei minha decisão para Cínthya:

— Peguei o jacaré para mim.

— Que jacaré?

— Este! (Retirei das costas como um buquê.) Arrumei e aprontei para sair comigo. Vou levar para meu escritório.

— Nãooooooooooooooooooo!

A negativa me magoou. Não absorvi o tranco. Imaginei que estivesse fazendo charme. Mas ela lançou tentáculos na minha direção e puxou o jacaré para perto dos seus seios. Com a violência de uma mãe recente.

Tentei argumentar:

— Largou o bicho imundo. Não duvido que permaneceu parado naquele lugar há três anos. E agora banca a interessada?

— Não importa, é meu!

É muito egoísmo, deduzi. E comecei a enumerar as minhas tentativas frustradas de levar algo de seu apartamento. Reclamei de sua possessividade, da ausência absoluta de gentileza. Demonizei a namorada, faltou somente colocar a bata negra da Inquisição e armar o fogo.

Bati a porta e não me despedi. Desci lento as escadas, aguardando que ela se arrependesse. Sempre parto devagar, esperando um pedido de desculpa sôfrego pelo corredor, dando chance para que ela me alcance pelo grito.

Não correu atrás de mim, muito menos caminhou. Não era isso que queria mesmo. A verdade é que não desejamos que a namorada corra para nos buscar, desejamos que ela rasteje.

Perdi o jacaré. Aliás, não perdi o jacaré, não era meu, não ganhei o jacaré, simplesmente.

Por pouco, não fui engolido pela avareza. O orgulho é a mais grave avareza.

Descobri que o egoísta era eu. Eu é que havia entrado em seu espaço, mexido em suas lembranças, retirado um objeto qualquer, sem perguntar que valor tinha para ela, quem havia oferecido, sua história. Vá lá que seja lembrança de um amigo que morreu ou um presente de uma amiga que não vê mais.

É a mania de desfalcar quem amamos pelo ideal de despojamento. Há uma concepção equivocada no relacionamento de que não devem persistir limites na entrega. Com limites, acusamos que não é mais amor.

Aproveitando a culpa, os amantes são os piores trambiqueiros, esquecem o valor dos detalhes, tiram vantagem em cada gesto.

É o mesmo que entrar no quarto do filho e colocar, de modo arbitrário, roupas fora. Entregaremos justo sua camisa predileta ou a mais confortável para a Campanha do Agasalho. É o mesmo que promover uma limpeza nas gavetas da criança e eliminar tampinhas de garrafa, confiando que aquilo é um lixo imperdoável, sem adivinhar que serviam para sinalizar a pista de pouso dos aviões de guerra.

Não desfrutei de nenhuma educação, poderia ao menos questionar qual o nome do jacaré. Recolhi o animal com a pretensão de que cuidaria melhor dele. Deixei de cuidar de minha namorada.

QUINZE MINUTOS DE VERDADE

O sexo é uma verdade privada que se torna mentira pública.

Na hora de fazer, a franqueza. Na hora de contar, a distorção.

Há um mito de que qualquer transa atravessa a madrugada. Não conheço guepardo, mas somente maratonista na cama. Ejaculação precoce é o de menos, o domínio é da ejaculação retardada. Não há um amigo que diga que transou quinze minutos. Nunca. São sempre horas e horas de carícias e afagos e preliminares.

Ou todos usam Viagra ou todos mentem.

Não sei se o brasileiro é o melhor amante. Não existe como saber. Não há boca de urna confiável da intimidade.

Corre sempre o boato de que o prazer se estende ao canto do galo. Eu olho para a cara dos meus colegas e não enxergo nenhuma olheira, nenhuma fraqueza de manhã. São sobrenaturais. Passam a noite fogosamente, não dormem e ainda acordam sem efeitos colaterais do cansaço. Alguma coisa está errada em mim.

Pior que fingir orgasmo é fingir que o orgasmo dura a noite inteira.

Onde anda a modéstia da nudez?

O bocejo, por exemplo, é tão romântico, mas é visto como um sinal de agouro e de tédio. Se alguém vacila, logo se pune e engole um energético. Abafamos a sedução da preguiça. Uma pena; ao bocejar, o corpo se estica e se entrega como num ato erótico. Nada é mais excitante do que estar desarmado, com o rosto limpo, honesto e real.

O sexo precisa de mais religião. Pode parecer blasfêmia, mas pede mais religião e menos academia de ginástica. Sexo virou desempenho. É uma atividade muscular, ao lado do cross over e do leg press. Uma demonstração de fôlego. Uma competição de quem aguenta mais. De quem pode mais. Uma rivalidade de bíceps e seios. Estamos mais preocupados com a posição do que com o prazer do outro. Os joelhos e braços são anilhas encaixadas nas barras.

Esquecemos que o sexo pode ser curto no tempo e intenso na entrega. Já é suficiente meia hora, desde que vivida com a disposição dos detalhes, desde que a respiração seja saboreada e a pálpebra se feche para deixar o lábio enxergar sozinho.

Parece que sexo exige insônia, exaustão física, tortura, infarto. Eu quero viver pelo sexo, não morrer dele.

A noite de núpcias é a mesma conversa fiada. Os convidados e os padrinhos farão insinuações aos casados durante a festa: "Hoje é o dia, hein?" Mas, no quarto, a verdade será sonolenta. Em vez de gemidos, roncos.

Depois do casamento, da recepção, da comilança, da arruaça até a luz do sol chegar, das danças e das despedidas dos hábitos de solteiro, como é que o casal vai transar? É desumano. Ou porque os dois estarão embriagados ou porque não se mantêm em pé. O máximo que dá para fazer é uma declaração de intenções.

— Ai, amor, eu queria tanto comemorar.
— Eu também, mas temos uma vida pela frente.
— Não ficará chateada?
— Claro que não, eu desejava...
— Zzzzzzzzz.

E ambos entendem que mentir não é tão bom quanto dormir de conchinha.

VINGANÇA

Duas coisas que o homem não tolera ouvir de uma mulher: insinuações sobre o seu sexo e que dirige mal. O resto é negociável.

Quando ela pedir sua "coisinha", mesmo carregada de ternura, mesmo sem querer, é para falir na hora.

Merece uma resposta sem piedade:

— Calma, estou procurando. Estranho, eu a vi ontem.

Ternura às favas. Homem — no seu íntimo — quer ser dotado de "trabuco". Ele empregará somente a régua na adolescência com a certeza de que ultrapassará os quinze centímetros. Na indecisão, não ousará enquadrar seu instrumento de trabalho ao longo da vida. Não coçará muito o saco para não chamar atenção. Será educado por insuficiência de recursos.

Nem necessita ser algo descarado. Sugestões femininas aniquilam o relacionamento.

Não se avalia o tamanho do desespero de um homem durante a transa.

Os dois estão no maior assanhamento, trocando de posição, como bichos seguindo o suor.

De repente, a parceira grita:

— Mete mais! Mete mais!

Para quê? Ele tenta ir mais fundo, mas já encontrou o máximo, atingiu seu limite. Não tem mais nada para oferecer. A saída é aumentar os movimentos, a força, o impulso, tenta disfarçar dobrando a velocidade das pernas.

Às vezes, funciona, às vezes, a sanha é enfiar a cabeça, o tronco, os cotovelos. Compensar, de algum modo, a insuficiência de recursos.

O cara está lá no útero, e o corpo sinuoso dela permanece insensível. Isso é o que caracterizo de "Nervos de aço", sr. Lupicínio Rodrigues. Dor de corno são nervos de alumínio.

Mais grave do que as indiretas em relação ao corpo é suportar as mulheres comentando o desempenho no trânsito.

Na primeira vez em que eu saí com uma menina, ela inventou de advertir minha mudança de marchas: "Ei, grosseiro!" Seu propósito era descontrair e interromper o nosso terrível silêncio.

Parei na hora e mandei descer:

— Do carro?

— Não, de minha vida.

Ela foi muito infeliz e sincera, infeliz porque sincera. Nenhum macho tem senso de humor quando está dirigindo. Uma crítica do seu desempenho ao volante é irreversível, o equivalente a olhar para uma mulher e disparar: "Percebi celulite, estrias e gorduras localizadas, gosto de você assim mesmo."

O carro para o homem é seu salão de beleza, sua drenagem linfática, sua cirurgia plástica.

Um risco na lataria é uma cicatriz. Amasso é sífilis.

A reprovação no exame de habilitação produzirá mais estrago emocional do que rodar no vestibular. A tragédia será completa acrescida da aprovação no mesmo exame e no mesmo dia da namorada. Há homens que não dirigem para não enfrentar a gafe. Preferem ônibus, táxis e trens, com a esperança ecológica de que ajudam o planeta e, de tabela, sua estima.

Carro é a prótese masculina. A vingança peniana. O revide ao complexo.

Curiosamente compro veículos cada vez maiores. De um Fusca para um Gol, de um Gol para um Cross Fox, minha próxima aspiração é um jipe e devo me aposentar com uma colheitadeira.

CUECA NO BOX

Falta-me traquejo para a vida de solteiro. Colocar mais um pires na montanha e embarcar com a consciência limpa ao trabalho. Passar reto e despreocupado pelo amontoado de xícaras e pratos da semana batendo na boca da torneira. Usar todos os talheres para depois pensar em lavar os encardidos. Antes, inclusive, recorrer aos garfos de plástico de alguma festinha de criança.

Eu não tolero louça suja por mais de 24 horas. É uma fragilidade de temperamento. Claro que sozinho não teria que provar contas a ninguém. Sozinho, desfrutaria da liberdade do desejo. O problema não é enganar os outros, é não conseguir me enganar.

Sei que está suja e isso me atrapalha. Atrapalha meu raciocínio cartesiano, de concluir primeiro uma atividade para engatar outra. É um bloqueio criativo da minha motricidade.

Talvez eu seja um entre a maioria dos homens que fracassa em permanecer solitário, saindo da casa materna para um casamento, sem a transição sadia de um apartamento pequeno, os amigos em dia e os comprovantes a pagar. Logo me casei e vivi casando. Pelo medo da própria solidão. Não aguento, mais do que a pia imunda, minha cabeça parada por meia hora.

Homem é um animal carente. Ele largará um casamento ou namoro se estiver de olho em outra mulher. "De olho" é eufemismo. Já estará quase junto, em segredo, costurando uma vida paralela.

É desse jeito. Ainda não conheço um sujeito, por favor se apresente, que tenha terminado um romance para cumprir um tempo sozinho. "Ficar um tempo sozinho" é a maior mentira inventada. Na primeira noite, o cara estará festejando com a futura esposa ou telefonando para o frete.

Creio que seja uma fragilidade psicológica. Dependência. De quem foi mimado. Um costume herdado. Define sua vida como estar acompanhado, desde as turmas da escola. Que restar sozinho com um livro ou com um prato é perda de sol; é jogar sua juventude fora. Deveria estar aproveitando na rua, no bar, na cama — e com testemunha.

A mulher não enfrenta essa histeria da aproximação. Ela pode tranquilamente se separar para não casar em seguida. Tem a dignidade do luto, de lavar as costas do silêncio, de reprisar sua história e arrumar os álbuns de fotografias. Respeita o sentido da entressafra, de que a terra precisa de um recesso para voltar a crescer como no começo. É uma consideração ao ex, por aquilo que ele teve de bom e ruim.

Algo que o homem não repara, casando e casando, não produzindo um intervalo sequer para se duvidar. Emendará suas hesitações, fotocopiando os erros e repetindo no quarto matrimônio a relação frustrada do primeiro.

Raramente alguém verá uma cueca no box do banheiro. Homem não tem solidão.

O GARFO DELA, A MINHA COLHER

No almoço, fico muito irritado quando alguém complementa meu prato com sobras do seu.

Selecionei as cores, dividi as porções, entrei em dúvida, tentei compor um estilo, me dediquei a abrir as tampas e fumegar desejos. Não foi aleatório, corresponde a um empenho pessoal, a um gosto do momento.

A demora não é dúvida, é paixão. Escolho a comida pelo perfume.

Mas minha namorada pensa que como pouco, não compenso o esforço do meu dia, que sonego vitaminas, que não tenho condições de seguir uma alimentação balanceada. E sempre inventa de me doar um pedaço de carne. Acho que ela já pega um a mais já aguardando para levantar a ponte do rio Guaíba.

No final da refeição, surge o guindaste de seu garfo arremessando um bife. E um bife coberto de arroz, brócolis e suflê de queijo que ela estava comendo. Um bife com o passado recente de sua mastigação.

— Come um pouco mais, não custa nada.

Ela não pergunta se quero. Desova o morto no meio da louça. Um suicídio bovino. Pum. Lá estou com o tartarugaço emperrando a conclusão da fome e agora condenado a defender por dez minutos que não é educação, não há realmente interesse em devorá-lo.

Para ser honesto, às vezes ela me pergunta, mas depois de lançá-lo ao meu território. Como não sei me cuidar, é sua crença, não devo reagir. Representa uma questão prioritária de saúde.

Guardo a convicção de que o existencialismo foi criado na hora em que Sartre recusou o foie gras repassado por Simone de Beauvoir.

Complicado explicar que minha magreza não é de ruim, é do bem. Apesar de ser chamado de panqueca na infância, me vejo elegante como uma esfiha.

Aquilo me tira do sério. Meus pais e irmãos faziam a mesma transferência na infância. Tenho jeito de Banco de Alimentos. Eu nunca conseguia finalizar pelas caçambas derramadas dos meus vizinhos.

A raiva me dá razão e não me permite enxergar o quanto também sou desagradável. Conviver consigo muito tempo não é saudável. Eu me perdoo com mais facilidade do que desculpo os outros. Ou me vingo nos outros o que não perdoo em mim.

Uma de minhas fantasias românticas consiste em servir morango, chocolate, sorvete na boca da namorada. Fondue, então, é perfeito para atiçar sua língua, vê-la morder os lábios, limpar com beijo a calda em seu rosto. Já estou excitado em lembrar.

Durante onze meses, exercitava meu trapézio erótico, encaixando iguarias e frutas em seus dentes e aproximando as pálpebras de sua garganta como uma endoscopia (vale um estudo a excêntrica mania de espiar onde a comida vai pousar).

Nem reparava suas sobrancelhas assustadas. Imitava os vídeos dos canais pornôs e das propagandas de motel. Confiava inteiramente que agradava.

Descobri, na última sessão de colheradas, que ela odeia que coloquem comida em sua boca. O garfo que reclamava dela é a minha colher. Acha que a trato como um bebê.

Escuta por dentro o "olhe o aviãozinho" de sua mãe.

Não sobrevivi ao acidente aéreo. Ainda estou me procurando no oceano de seus olhos.

RETRATO PINTADO DO CASAL

Nas moradias do interior, havia sempre dois quadros. A Última Ceia na cozinha e o retrato ovalado do casal no alto da sala. Ambos habituais em residências respeitáveis, consensuais a exemplo da escada em igreja e dos morrinhos em praça.

Marido e mulher alçados à cúpula de madeira. Maquiados para a eternidade.

A imagem revelava algo de alucinação. De amor assombrado. De inscrição de lápide. Um retrato que dava a noção de que o homem e a mulher estavam mortos mesmo que andando animados pelos corredores. Colocar quadro de um casal vivo mexia a terra por debaixo das tábuas.

A casa se tornava um túmulo. A mesa mancaria os pratos. As portas rangeriam portões de ferro.

Emanava daquele canto uma sensação de irrealidade, de antiguidade precoce. Como a fotografia ficava ruim, um artista retocava os traços com tinta a óleo. Pregava sombra no olho, corava a face, cobria as vestes de tons marrons e azulados. Melhorava o rosto.

As figuras masculinas ressurgiam com vermelho forte na boca, tomadas de um batom amoroso e fúnebre.

A fotografia também pedia a mão da pintura. Era e não era aquilo. Duas traições, a do fotógrafo e a do pintor, formavam uma esquisita fidelidade. A distorção traduzia a paranormalidade de um longo casamento.

Numa conversa de café, um amigo — irei chamá-lo de Luiz, como meu pai — confessou a dificuldade de encontrar a mulher de sua vida. Quem sabe até encontrou, mas não é igual a merecê-la ou suportá-la. Ninguém tem mais paciência para tolerar um amor real. Prefere um amor dentro de sua realidade.

Eu perguntei qual o sinal da paixão incondicional: Comprar aliança? Casar? Viver junto? Ter filhos? Repartir as contas?

O quê, afinal? De que modo expressaria o fim da busca?

Ele me olhou usando seus pés. Tirou os óculos e envelheceu dez anos. Pedi que colocasse os óculos para voltar à minha idade. Alinhou as lentes e respondeu:

— Fazer um retrato pintado com ela.

Brinquei que era uma ideia ultrapassada, para mostrar quem manda e impor autoridade aos parentes. Talvez porque seja mais fácil desobedecer a um rosto afetivo do que a um quadro.

E percebi que me enganei, o desejo foi descendo lentamente em meus ombros, como um casaco predileto. E me transmitiu uma tranquilidade acalorada. Uma paz de copo d'água na cabeceira, de terço no retrovisor, de chave no bolso.

Um retrato na parede para o tempo dentro de casa.

Assim como os familiares são lavados e vestidos para o enterro, aquilo era lavar e vestir o par em vida.

E percebi que não prometemos com medo de não cumprir. Quando falamos que não cumpriremos já estamos fazendo outra promessa. A promessa da negação. Não há saída: o ceticismo é uma fé ao contrário.

Penso com calma e vejo que a moldura pode ser uma aliança.

CAMA NA MESA

Há tudo que é teoria sobre sexo; confio naquela que antecipa a performance masculina a partir do jeito que o marmanjo avança na comida.

A melhor forma de a mulher não se incomodar depois é convidar seu pretendente para uma simbólica e inofensiva refeição. Assim como há a tradicional reunião-almoço, é possível criar um jantar pré-sexual.

Teste seu parceiro. É seguro, preciso e previne futuros gastos com terapeuta.

Se o homem separa demais as comidinhas, cria cercas entre o arroz e o bife e a salada, come devagar como Gandhi, tem um pudor hospitalar com qualquer tempero, cisca o que não gosta, é nojento na escolha do cardápio, pede para trocar o copo, tem várias manias de limpeza, não estique a noite. Por favor, a primeira impressão já saiu com pouca tinta, não insista com a impressora.

É um daqueles sujeitos que converterá o guardanapo num babador e fará um macacão se tornar um tip top. Não conseguirá se recuperar de uma mancha de molho. Sairá correndo ao banheiro e ficará comentando o azar pelo resto da noite.

Sua atuação comprometerá, é um convite à compaixão. Ele terá medo da própria saliva, usará as posições mais confortáveis e não acreditará na combinação de sexo oral e amor. É o típico perfil de quem vai ligar no dia seguinte e conversará com sua mãe. Não confie em homem que telefona no dia seguinte.

Até pode parecer de boa cepa e família, refinado, perfeito para campanha de detergente. Não se engane. Difícil discernir o educado do reprimido. Psicopatas também são gentis.

Mas, caso ele faça três andares no prato, coloque o ovo em cima do arroz, o bife em cima do ovo, e encontre um espaço para a massa e a couve refogada, não hesite: seu desempenho promete passionalidade. Os talheres terão a função de andaimes do edifício. Alternará as mãos com a perícia apressada de um bárbaro. A sensação é que tira agora o atrasado de um mês. Nada é posto de lado, nenhum fiapo de carne é desperdiçado, nenhuma ervilha, mistura as porções com coragem e gula. Lembrará Alexandre, o Grande, raspando a porcelana como se conquistasse novamente o Egito e o Afeganistão.

Observe ainda se ele deixa escorrer a gema pelo canto da boca — um requinte da espontaneidade, assim cumprirá com louvor o teste vocacional.

Demonstrará trejeitos de insaciável. Não temerá qualquer entrega. Não vai ficar olhando onde está se deitando. Seguirá o impulso, derrubará os obstáculos pela frente e levará o abajur pela coleira a passear pelo quarto.

Homem bom é o que baba. A boca cheia de desejos.

LEITE DE CABRA

Desconfie dos sabonetes das mulheres. Mais do que dos vibradores, meros objetos de decoração das gavetas.

Eu absorvi o ciúme mórbido com a minha namorada.

Ela não me permitia usar um sabonete de leite de cabra. Branco, bonito, com um longo fio para segurá-lo com destreza. Uma pulseira ajustável, como um terço, uma algema. Podia pegar qualquer outro, menos aquele. Derramar os condicionadores e os xampus sobre a barba; aquele não; era inviolável.

Reinava avulso no registro do chuveiro. Não aceitava companhia. Despejou a esponja e a calcinha da vizinhança. Sua arrogância lembrava a de um badalo, prestes a explodir sonoramente a torre de uma igreja.

Não sei o que ela faz com ele. Mas cresceu uma inveja de seu lugar no box. De sua exclusividade.

Delirava que ela me trocava pelo sabonete. Quando não estava em casa, corria para sua fragrância. Banharia os fios negros, desenharia as curvas, releria o Cântico dos Cânticos em sua textura.

Não subestimo meus fantasmas, ainda que sejam inventados.

Ensandecido, tratei de eliminar o rival. Aos poucos, para não gerar suspeitas.

A cada mergulho, friccionava o bichinho em minhas mãos. Esfregava sem parar para gastar seu corpo arenoso. Nunca fui tão higiênico, tão asseado, tão perfumado. Tomava três banhos por dia. Nem em minha adolescência encarnei tamanha gastança de luz e furor.

Numa semana, emagreci a cabra safada. Ficou fina como uma lixa. Raquítica. Um papel vegetal. Já observava o outro lado de sua superfície. Zombava da fragilidade quebradiça. Botava em meu rosto e gritava para seus ouvidos limpos:

— Viu com quem foi se meter?

Permaneceu apenas a alma de um fio. Uma forca de gato, nó da embarcação gloriosa.

Minha felicidade mal podia aguardar o susto da namorada.

Ao identificar o capricho gasto nas órbitas dos azulejos, frustrou minha expectativa. Não se irritou. Não gritou. Não esperneou. Não me culpou. Calmamente, me pediu para abrir o armário.

Havia vinte iguais debaixo da pia. Um exército de Calígula.

Orientou que saísse e fechasse a porta do banheiro.

Sou facilmente substituível.

GAY HETEROSSEXUAL

— Você é um gay heterossexual, Fabrício.
— Eu?
— Sim, um gay que gosta de mulher e só de mulher, essa é a diferença.
— De onde está tirando isso? Eu adoro futebol.
— Meu cabeleireiro também adora.
— Gosto de lavar carro e sofro com todo arranhão.
— Meu estilista também.
— Ai, meu Deus. Você não me ama mais.
— Viu como é dramático? Qualquer coisa é uma ópera. Gay!
— Não sou nada. Não uso piteira para tragar as palavras.
— Olha aí, humor refinado, seu humor é gay, quem entenderia essas piadas?
— Está provocando à toa.
— Não, acho extremamente viril um gay ser heterossexual.
— Me mostra que sou gay.
— Lembra quando fez strip na última semana?
— Lembro, e daí, não gostou?

— Vibrei, sabemos, mas você arrancou a camisa, a calça, jogava para o lustre, para a janela, mostrava um desinteresse passional. Um furacão.

— E...

— No instante de retirar as meias, criou um novelo com as duas, como se fosse guardar na gaveta.

— Não me diz que é gay?

— Foi uma parada gay.

— Para de polemizar. Não posso ser gentil, educado, afetuoso, e já me rotula.

— Conversa de gay, não recordo de marmanjo defendendo sua ternura.

— Sou vaidoso do amor, e daí?

— Pinta as unhas, corta o cabelo uma vez por semana, seu guarda-roupa é duas vezes o meu, adora lojas, disposto a debater duas horas se leva uma echarpe ou não.

— Não vejo a vida com maniqueísmo: homo e hetero.

— Quanto tempo suporta uma mancha no tapete?

— Cinco minutos.

— O tempo para buscar o desinfetante, né?

— Quer uma prova de que sou inteiramente masculino?

— Inteiramente? Estranho, um gay é que emprega muito o advérbio.

— Deixa falar?

— Me diz qual a prova irrefutável?

— Eu tenho poncho.

— Gay não usa poncho?

— Vou mandá-la para o Analista de Bagé para acabar com essa frescura.

—Tudo bem, é um homem, um homem gay.

— Poderia arrumar seu brinco? Está caindo...
— Falei? Repara em tudo, comenta qualquer pessoa que passa, o jeito que ela se veste, o jeito que fala, tomado de uma maldade alegre.
— Falando mal dos outros é que aprendi a me criticar.
— Nunca tem fim uma discussão de relacionamento, emenda um problema no outro, não termina um assunto.
— Acho que você estava acostumada com o desprezo...
— Está me ofendendo.
— Eu puxo seus cabelos.
— E, se encontrar um nó, desembaraça.
— É um detalhe.
— Observa agora sua quebradinha de quadril para afirmar que não é gay.
— Não é suficiente.
— Combina cueca com camiseta. Homem não escolhe a cueca. Pega a primeira que aparecer pela frente.
— Não me convenceu. É capricho.
— Limpa a casa com entusiasmo, vocação maternal.
— É uma vingança porque canto ABBA na cozinha.
— Não me entenda mal, acho você um homem perfeito. Mais: o super-homem do Gil.
— Gilberto Gil, pretende me desmoralizar...
— É um elogio, porra!
— Parece um homem falando agora.
— Vá se danar.
— Descobri o que quer com essa conversa Já transou com gay, acertei?
— Tudo bem, sua paranoia é masculina.

MOCREIA

Eu descobri o que é a vulgaridade: o desinteresse.
Quem fala um palavrão apaixonado não será vulgar. Não será tosco. Acredita naquilo, colocará sua vida entre os dentes para estalar o chicote do desaforo. Quem fala um palavrão por estilo, sem necessidade, acaba se vulgarizando.

Quem se oferece por excitação abarcará o peso da palavra dita, da palavra retirada, não será vulgar. Abraçará o suspense entre o pensamento e o som. O único acordo ortográfico que conheço é conciliar o que se pensa com aquilo que se deseja e conseguir ser compreendido.

Quem se oferece por hábito e técnica será tão vulgar quanto a marca do biquíni acima da calça.

A indiferença é vulgar. Não são vulgares a sensual abaixadinha e cada um em seu quadrado. O funk pode ser explosivo. Não são vulgares os saltos enormes, os lábios pintados de vermelho ou o laquê ou qualquer adereço escandaloso. Um travesti pode ser muito elegante.

Vulgar é quem cobra por apresentação da alma durante as folgas. Não escuta os outros, não se reparte, confia que o amigo é espectador e que todos estão adorando sua companhia.

Há uma diferença entre a vulgaridade e a soberba. Alguns merecem a soberba. Há uma diferença entre a vulgaridade e a maldade. A maldade tem sentimento.

Dei um giro noturno com minha namorada e sua amiga. Em cada bar que entrávamos, ela passava a mesma cantada ao porteiro com o interesse de arrebatar privilégios e uma mesa maior. Entoava um sopro infantil, acentuava os joelhos numa oferta despropositada. Sua voz era pedófila.

Bonita, pernas trabalhadas pela dança, vestido curto, rosto carismático, mas vulgar. Não alterava nunca a velocidade dos olhos, não importando a lembrança. Falava com desdém, com certeza de toga emprestada para a formatura. Não estava familiarizada com o talvez, a dúvida, a hesitação. Unicamente admitia se corresponder na quarta e quinta marchas. Não voltava atrás num assunto, não dava a mão para uma conversa, não declinava de uma opinião. Seu lema: ou me acompanhem ou deixo vocês. Ela se via como a gostosa, a poderosa, a invencível, mas vulgar, porque não conquistou, em nenhum momento, o direito de ser conhecida. Demonstrava um talento absurdo para grosserias. Foi com o garçom, foi com o vizinho do balcão, foi com os colegas que encontrou na rua, foi comigo.

Brincava que minha namorada me chamava de gay heterossexual. Pelo excesso de cuidados. Ela nem me encarou. Virou os cabelos, abstraída de ternura:

— Se não fosse tão feio, seria gay.

Desprezou sua amizade antiga com a namorada, desprezou o que eu significava, cometeu um preconceito longe da paciência para convertê-lo em piada.

Vulgar. Como animais em cativeiro. Ela não sabe, nem saberá; até para avisar de nossa morte dependemos de pele.

A CARNE É FORTE

Eu confessei todos os pecados de velho quando criança.
Ficar na fila para se confessar já era um despropósito.
Adivinhava qual era o padre que me ouvia pela voz fanhosa ou pelo sotaque italiano.

Havia o Alfredo e o Laércio. Padre tinha nome antigo, de moeda da Grécia.

Nascia e morria num dicionário de latim.

Pensava que o sacerdote usava a janelinha de proteção por estar gripado.

Vivia gripado.

Todos os meus pecados eram um único: bater punheta. Mudava apenas o dia e o horário.

Não, não dizia bater punheta. Eu bati punheta somente quando adulto.

Eu dizia: eu me toquei, padre.

"Eu me toquei às 13h, eu me toquei às 18h, eu me toquei às 21h."

Vivia me tocando.

Torturado por não ir ao céu, confidenciava por quem me tocava. Acho que não precisava, mas pecado bom é com detalhe.

O padre conheceu minhas fantasias eróticas melhor do que qualquer mulher. A infância do meu erotismo.

Quando disse que sonhei com a faxineira da igreja, ele me penitenciou com a maior carga tributária de ave-maria e painosso do bairro, o que sugere que estaria apaixonado por ela.

Largava o mesmo conselho diante da minha sucessão ejaculatória: "Para de coçar, menino. A carne é fraca, querido, a carne é fraca."

Até hoje não posso ouvir a palavra coçar que sou transportado pelo riso para a sacristia da Igreja São Sebastião.

Depois de dois casamentos, mereço uma conversa séria com o menino que fui.

Podemos casar sem sexo. Mas amar depende de sexo forte e intenso. A alma é complacente, logo aceita qualquer migalha. O corpo não. Orgulhoso de seu gosto, briguento, ferrenho. Não descansará se não for saciado.

O corpo tem muito espaço para ser escrito. Não esquecemos do que foi lido em nossa nudez.

Se o cheiro não atrai, inútil apelar para as gentilezas.

É o cheiro que chama, o cheiro que abraça, o cheiro que aperta. O cheiro das pernas, o cheiro da nuca, o cheiro dos cotovelos, o cheiro dos joelhos.

O cheiro da voz beijando, lambendo, chupando.

Sou forçado a avisar a criança da década de 70 — antes que ela se perca de novo — que a carne é forte e a alma é fraca.

No paraíso ou no inferno, quero o estorno de meus pecados. Tenho crédito em a ver.

O HUMOR DO FODIDO

O mau humor é o melhor antídoto que existe. Nada como ser passageiro de um motorista que vive reclamando do trânsito, conversar com um carrancudo que destila ódio para a classe política. São companhias estimulantes, afrodisíacas. Além de tudo, bem informadas. O pessimista é uma enciclopédia vendida de porta em porta. O otimista é que não lê jornal.

O otimista é frouxo, repete as mesmas frases evasivas e genéricas como "precisa acreditar" ou "tenha esperança". O pessimista é pessoal, persuasivo, abrirá seus segredos com desembaraço. O otimista rende somente autoajuda. O pessimista proporciona alta literatura.

Guardo deslumbramento auditivo diante das pessoas que não respondem "tudo bem" no cumprimento. Enchem as vogais para declarar "tudo péssimo". Puxo a cadeira mais próxima e me sento com reverência porque percebo que descobri um corajoso no mundo, que vai se confessar com absoluta sinceridade, que tem vida própria e casa alugada.

O azedume é a inteligência em estado bruto. Aplaudo a loquacidade da tristeza. Desespero quando não fala é fatal. Desespero que esperneia é manso. Nunca fui de brigar, por exemplo, mas de espernear. Queria ser segurado pelos colegas antes de apanhar. Minha honra fez teatro na escola.

O mau humor do outro me deixa eufórico. Recebo uma sensação de paz que encontrei uma vez, ao soltar folhas de livro inédito no rio Sena, apesar de não ter estado em Paris.

Do veneno alheio, surgirão sabedoria, ensinamento, conselhos. Quase uma aula de ecologia sentimental.

Orgulho-me desse humor muito brasileiro, incomparável. Daquele cara que deu tudo errado e ainda está achando graça. Sofreu enchente, deslizamento, seca, foi corneado e não se entrega. Não fechará o negócio, a cara, a amizade. É o que não tem motivos para rir e está rindo. Seu riso é perigoso. Seu riso é ofensivo. Seu riso é o caráter do pulmão.

Não confio em sujeito com felicidade de sobra. Será avarento e indiferente. Quem tem esconde. Unicamente peço dinheiro emprestado ao amigo que já faliu. É um pré-requisito que não costuma falhar.

Eu me interesso pela falta de explicação da alegria. Viva o humor do fodido. É o único que sobrevive às tragédias. Não ficará traumatizado, arrumará uma piada no acidente. Não ficará encastelado no quarto, pagará uma rodada ao pessoal do balcão.

A desgraça o torna generoso. Repentinamente natalino.

Meus grandes amigos estão cansados de recados, cada dia é um ultimato. Odeiam quando a atendente pergunta de onde são. Têm rancor por essa mania de rodoviária que atinge a maior parte das secretárias.

Meus grandes amigos são mórbidos. Compraram o jazigo na juventude. Os que pensam na morte cedo demoram a morrer. Preparam-se com tanta antecedência que perdem a hora.

A maldade preserva e o bem só traz rugas.

Posso garantir, todo santo estava acabado aos 40 anos.

CREPÚSCULO DOS CASAIS

A namorada de meu irmão começou a elogiar o vampiro Edward, do filme Crepúsculo.
"Aquela palidez, aqueles traços selvagens, o corpo perfeito."
Enquanto ela discorria metaforicamente, tudo bem, até a hora em que entrou o corpo perfeito. Foi um banho de realidade. Ele a via se esfregando no box e dedicando o pescoço ao canastrão. Não importava se a menina admirava o personagem ou o ator Robert Pattinson. Ambos se tornaram um inimigo declarado dele e de seu time de futebol de terça-feira.

Homem somente arde de ciúme de um ator quando venerada sua força física e muscular. Pode falar das ideias, da inteligência, do romantismo, do caráter, nada incomodará. Erudição e sensibilidade são alcançáveis mesmo com uma barriguinha de cerveja. O trauma é acabar com a barriguinha de cerveja.

Namorada, quando comenta o tórax, o tronco, as pernas de um ator, logo completará a provocação "eu faria qualquer coisa com ele".

— Qualquer coisa? — o namorado retruca.

— Sim, qualquer coisa. Sua sorte é que ele não mora aqui.

Ainda solta um risinho, que aumenta a malícia da frase e o conteúdo misterioso e encorajador da oferta.

A noite estará estragada com o inofensivo diálogo.

Em primeiro lugar, o ciumento vai concluir que ela não faz qualquer coisa por ele, que guarda segredos e posições intocadas do *Kama Sutra*. Já a imagina cumprindo um spacatto na mesa de jantar.

O homem tem muito mais medo de ser corneado pela fantasia feminina do que pela parada de ônibus. Uma coisa é concorrer com o vizinho, outra é concorrer com Rodrigo Santoro.

Mostrando que é do mesmo sangue, meu irmão não deixou por menos. Uma semana depois, de um modo premeditado, é óbvio, comentou olhando para o lado, assim como quem permite o guardanapo cair, que Robert Pattinson é excêntrico e não toma banho. Desejava, no mínimo, eliminar a incômoda fantasia do box.

— Como descobriu?

— A notícia estava num site e li por acaso.

— Que nojo, Robert parecia tão cheiroso.

Ele não contou que pesquisou tudinho sobre o ator, cabulou uma tarde do serviço, criou uma pasta exclusiva com informações confidenciais de sua história, de seus hábitos e superstições, que a expressão mais pedida em seu Google era Pattison. PATTISON. Com a convivência forçada, criou uma simpatia pelo sujeito, mas era tarde para iniciar amizade.

ATÉ 2012

Eu estaciono no mesmo lugar. Na rua Tobias da Silva, para almoçar no Suzanne Marie.

É quase automático. Tomo a vaga menos trabalhosa, de preferência perto de uma garagem, para não manobrar. E nem vem com essa de que homem tem que fazer baliza para mostrar sua habilidade. Baliza serve para treino de futebol e não há dia amistoso em minha vida. Acertei uma vez na autoescola e não pretendo arranhar meu feito.

Sou ritualístico. Um pouco de improviso e me perco. Ao acender os faróis sem querer, não sei mais se fechei a casa direito, desliguei a cafeteira, recolhi as roupas, apaguei o gás. Um esquecimento acorda todos os possíveis extravios. Reabro casos arquivados da minha motricidade. Eu penso no que fiz, e me dá medo de ter esquecido alguma coisa. Porque fazer é esquecer. Algo fora do programa, e confio que errei todos os passos anteriores. Neurose? Sim, uma neurose habilidosa, graduada.

Entre os atos habituais, deixo um troco para o guardador da rua na saída. Quando estou otimista (o que significa que não acendi os faróis), ofereço R$ 2. No azedume, busco uma moeda de R$ 1 e não puxo conversa.

O flanelinha me trata sempre da mesma forma, com bom-dia e bom trabalho.

Retribuo o bom-dia.

Dependendo da paciência, comento sobre futebol, apesar de não descobrir para qual time ele torce, o que prejudica a passionalidade dos comentários.

Mas, naquela manhã, retirei uma nota de R$ 2 da carteira, no impulso. Entreguei já com o pé na embreagem.

Ele insistiu para que abrisse o vidro.

"Será que está pedindo correção salarial?", pensei. "Só o que falta é reclamar", atropelei o primeiro pensamento.

Deu dois toques na janela e falou:

— Obrigado, meu irmão, Deus te abençoe e ilumine seu caminho, Deus possa retribuir a ajuda, minha família agradece, tenho dois filhos para criar, precisava mesmo comprar remédio e...

Não parava sua lamúria contente. Não sei o que é pior: o agradecimento ou a reclamação. Óbvio que é o elogio. Da segunda, a gente tem como se defender.

De cabelos cacheados e perfex na mão, o rapaz entrou em surto. Tive que acenar em movimento antes do fim de seu discurso.

Suspirei, aliviado, ele realmente compreendia o significado do dinheiro, o quanto custava cada centavo. Voltei a acreditar na evolução da espécie.

Segui meu dia, fui a uma festa de aniversário de noite. Durante a despedida dos amigos, no caixa, não encontrava a nota de R$ 100, somente a maldita de R$ 2. Escuro, embaçado pelo cigarro e bebida, cheguei a grudar a cédula em meus olhos como lente de contato para verificar se o azul de uma era o azul da outra. Não era, e reprisei novamente o filme das últimas 12 horas e descobri que alcancei a grana para o guardador de carro, o que explicava sua euforia mística.

Eu estaciono no mesmo lugar e não pago mais o flanelinha. Ele tentou se aproximar nesta semana. Arriscou uma súplica, tímida, abafada.

— Hoje não tem nada?

Respondi que não, nem hoje nem amanhã, a rua era minha até 2012.

NÃO SABEMOS NAMORAR

Dei para mascar chiclete com sabor melancia. Deveria esconder esse detalhe. Mórbido para quem atravessou os 36 anos.

Mas vejo o quanto escondo o romantismo debaixo da mordida. Sou açucarado. Meu beijo é diabético. Logo eu que passo uma imagem seca de bolacha de sal.

Vá lá, não acredito nesta história de acomodação no romance. Que de uma hora para outra cansamos. Não é cansaço, não é que paramos de seduzir porque conquistamos e que não precisamos mais arrebatar com surpresas. Não é que estamos seguros e não arriscamos mais. Não é o conforto ou o domínio territorial.

Senão começaremos a acreditar que existe cupido. E cupido é o mais cafona dos anjos. Quem começa uma relação com cupido termina na fossa repetindo os erros ortográficos das canções sertanejas.

Confio que há gente que não saiba namorar. Não sabe namorar, e pronto. Supõe que é instintivo, natural, que é beijar, abraçar, e os oceanos transportam a espuma. Que basta amar e as relações funcionam.

Mas as relações queimam pelo pouco uso. A eletricidade enferruja.

Há gente que jura que namorar é cumprir um expediente depois do expediente: jantar, conversar e transar. Há gente que não quer namorar, e sim uma amizade para dividir o que se é. Sem tensão. Sem cobrança. Sem nervosismo.

Que tudo está definido e seguro para o final do ano, que não pode ser perdido no próximo minuto. Eu acabei de perder o próximo minuto.

Namoro é ambição. É um final de semana a cada dia. É uma delicadeza insuportável, antecipar os movimentos e agradar quando não se espera. Gentileza em cima de gentileza, infindável. Um cuidado para não magoar com aviso e pergunta, com aquela educação concedida a gestantes e idosos.

Namorar requer uma atenção absoluta. E não reclame: amar pode ser para toda a vida quando oferecemos toda a nossa vida.

Tem que se preparar, ceder, abrir espaço, oferecer, renunciar. A inquietação nasce da paciência. A criatividade nasce de uma porta fechada.

É um extremismo terrorista. Explodiremos civis.

Durante algum desentendimento, mobiliza-se a genealogia da imaginação para escandalizar de novo. Carro de som, helicóptero, arranjos suicidas pela janela. Não é permitido ficar quieto, parado, para conversar a respeito. A conversa demora.

No namoro, não existe como ser egoísta. Egoísmo se deixa na portaria. É pensar pelo outro, com o outro, como o outro.

É ter uma lista de compra de mercado na ponta da língua, junto com o chiclete de melancia: qual a pasta de dente que ela usa, o xampu, o condicionador, o azeite, o leite que toma, o suco... Desconhecer a geladeira da namorada é passagem direta para o congelador.

É entrar numa livraria e pensar no livro que ela vai gostar, é entrar numa loja e pensar num vaso que combinaria com sua sala, é entrar no cemitério e sonhar com um mausoléu para a família, sim, planejar a morte junto — nada mais romântico.

É entrar em si mesmo e lustrar as memórias mais distantes para parecer órfão antes de sua chegada.

Dei para mascar a minha boca.

A COBERTA DE LÃ

Não é um jantar iluminado, não é o cinema de mãos dadas, não é sentar na praça observando os aviões recortando as nuvens enquanto as crianças buscam enrolar as correntes do balanço no arco com pulos cada vez mais altos.

Não é o medo de perdê-la para outro homem. Nem o medo de me perder para a infância. O amor se resolve na banalidade. São os cílios, os farelos, os botões, os brincos, os cabelos que não enxergamos cair no chão. São as quedas mudas, as gentilezas brandas, o costume silencioso de seguir procurando um ao outro mesmo depois do casamento.

Minha mãe, por exemplo, antes fazia a bênção em minha testa quando pequeno, nas saídas de madrugada para a escola. Hoje ela faz questão de abrir e fechar o portão ao partir de sua casa. Tenho o controle, mas ela não me permite. Apertar o botão vermelho é seu jeito de continuar mantendo o sinal da cruz. Agora no rosto da estrada. Com as grades levantando lentamente.

Sei que você me ama quando deito no sofá para assistir televisão. Estou sozinho, desmantelado, nem escuto o que vejo, pouso em um canal, estável, deitando a cabeça no encosto duro. A altura desajeitada, imensa, mal cabendo naquele engradado de molas. As pernas balançando perto do abajur.

Não conversamos, suspiro sem cópia carbono. É nesse momento em que não estamos juntos que nos amamos. Porque não a vejo provando que me ama, nem me vejo confirmando que a amo.

Vacilo as pálpebras algumas vezes até desistir. Tento comentar notícias, mas guardo para amanhã. Não tomei banho, não escovei os dentes, Sentei um pouco para respirar e fiquei. Acabei de chegar do trabalho, das aulas que permaneço de pé.

Não me acorda, não me empurra a cumprir horários. Me deixa ali. Até amanhecer.

Não duvido que muitos pensem que me abandonou para desfrutar os dois lados da cama. E ler tranquila, longe da minha insistência, não precisando explicar a história do livro.

Pareço um morto. Um morto que pode nascer de novo. Um morto obediente.

O morto só será de uma mulher quando ela o velar em vida. Tenho certeza disso. Feliz da viúva que pode dizer: meu morto! Sem ter que dividi-lo. Na dor, não queremos dividir, queremos não competir com mais ninguém. A morte é a única liberdade para sofrer.

E acordo assustado, procurando fixar o horário e o dia da semana. Olhos em remela, boca em ressaca. Seca. Vejo que estou amorosamente acomodado. Diferente do estado em que adormeci.

Alguém pôs um travesseiro, alguém retirou meus sapatos, alguém me livrou do cinto. Alguém colocou uma coberta de lã para não tremer com as janelas.

Esse cobertor, não há dúvida, ainda é seu corpo.

PREGUIÇOSO NO ELOGIO

Comprei água numa tenda em Areia Branca, no Rio Grande do Norte. Praia quase deserta não fossem os cachorros confundindo conchas com ossos.

Três amigos tomavam cerveja e gravavam depoimento num celular. Um deles, de boné vermelho, já tinha errado duas gravações.

Deveria ser um recado para uma ex-namorada prestes a se casar.

Resmungava: "Como vou desejar que ela seja feliz? Como?"

Com facilidade de prosa, os dois escudeiros apresentavam opções de discurso. Gesticulavam, entusiasmavam que seria rápido, empurravam seus ombros como jangadas. Que ele falasse o que sentia.

— O que sinto? Não sei o que sinto, estou pensando agora no que sinto e não estou gostando nem um pouco.

"Estela, eu queria que você encontrasse no amor o que não encontrei.."

E parou de novo, engasgou, botou a mão na frente da câmera.

— Não dá para usar o primeiro?
— Não, você nem completou uma frase.
— Meu Deus.
— Qual é o problema?
— Quando é palavra filmada, eu penso na vírgula, onde colocar a vírgula. Não consigo colocar a vírgula.

Ele se mortificava pela demora, pelo excesso que é o mesmo que uma ausência.

— Aí me achega uma preguiça do que não vivi.

Naquela hora, as pontas das águas não se soltaram mais. Alcancei o que queria e o que não queria confessar. Somos preguiçosos no elogio e inventivos para as críticas.

Para destruir, montamos e desmontamos o dicionário com afinco, puxamos as piores fragilidades para sangrar. Criamos até neologismos. No momento da briga, ninguém segura o verbo. Não há raivoso burro. Não há raivoso com língua presa. Não há raivoso gago. Um Padre Antônio Vieira acorda na acusação apontando os dedos ao destino.

No momento da paz, o verbo é travado. Parece que não precisamos fazer mais nada, a não ser recorrer às exclamações. Observamos nossa namorada e nos tranquilizamos com "bonita", "linda", "maravilhosa", "incrível", "fabulosa". Ela vai se tornando igual às outras. Não criamos gentilezas novas, não nos esforçamos para a homenagem. Não duvidamos do que sopramos para fora.

Se ela derruba os livros no chão, apontaremos que ela é atrapalhada. Por que não dizer que ela transborda?

Se ela esquece onde colocou a chave, lembraremos que nunca presta atenção. Por que não dizer que você é um portão da infância; é só empurrar?

Se ela acorda ranzinza, não condene. Por que não dizer que a ironia é a noite do humor?

Por quê?

Para quando ela estiver casando com outro, não lembrar mais da vírgula. A vírgula errada, que separou o sujeito do predicado.

MEIO PRESENTE

Não sou contra receber cuecas de presente. Que venha da namorada, da mãe, de amigas. Não ficarei decepcionado, não lamentarei os fantoches desajeitados da mão para satisfazer a ansiedade. Valem os pulos da respiração.

A cueca tem independência, sugere um momento especial de estreia, tem espaço próprio na gaveta.

Mas não tolero receber meia. Não é presente, é um insulto de pano.

Meia humilha o aniversário. Lembraremos do que faltou. Não é por nada que é categorizada como lembrança. Lembrança do tênis que não veio.

Dar meia é dizer que não tem dinheiro ou que o presenteado não merece seu dinheiro. Ambas as afirmativas estão certas. Mas é insinuar algo mais grave: que ele não merece nem seu crédito.

É igual a considerar coxinha de frango como um almoço. Meia é acompanhamento, deveria vir como brinde. Sou favorável a proibir sua venda em separado.

Meia é acessório. Uma falsa expectativa. Ai de quem pedir para embrulhar. Teremos mais trabalho em resolver a decepção do que em desfazer as dobras do papel. Meia é o cartão de visita do terapeuta.

Durante cinco aniversários, dos sete aos doze anos, meu avô paterno unicamente me oferecia meias. O papel de presente de palhaço justificava a escolha. Nem segurava direito, ainda recordo do pacote gelatinoso, informe, com o barulho irritante do plástico. Preferia que seu amor por mim fosse descalço.

— Acho que vai gostar, ele me apontava.

Como alguém pode afirmar que vou gostar de meia. Meia não se gosta, se perde. A meia some para testar nossa memória. Seus pares são uma indústria de divórcio. Não sei o que acontece na máquina de lavar. Mas nunca as meias voltam completas. Terminam solitárias. Casais são dissolvidos no Omo.

Coitadas, então, das brancas, condenadas a um swing interminável até surgir os primeiros furos.

Meia não se aposenta, morre subitamente no lixo.

A meia é uma luva no verão. Estranha, esquisita, é o que a gente já deveria ter antes de nascer.

Estava me acomodando com a teoria e desligando o computador, quando minha filha Mariana me telefona e pede pares de meia.

— Meias?

— Sim, pai, eu adoro meias, é meu presente predileto.

— Por quê?

— Com uniforme escolar obrigatório de cima para baixo, posso me diferenciar apenas pelas meias.

Meu avô deveria ter aguardado os bisnetos. Era muito evoluído para seu tempo.

AS AMANTES SÃO FIÉIS AO CASAMENTO

Os canalhas voltaram a se encontrar na Caverna do Ratão.

Depois de meses sem notícias.

Canalha só é notícia quando morto. Quando vivo, é boato.

Um deles se separou. O Flaviano...

Oh, o Flaviano. Seu nome é uma promoção de batismo: para facilitar, o apelido veio junto.

Com o capote dobrado nos braços e as pernas trêmulas das esquinas, o sujeito exalava maldição.

Percebe-se o desespero masculino pelos cortes do pescoço. Uma vez feliz, o homem faz a barba com calma. A gilete antecipa o estado de seu pulso.

O amigo estava mesmo devastado.

Devastado e solteiro. Um monturo de insetos e insignificâncias. Suas palavras tentavam abrir uma porta deitada.

Não deixava chope crescer em bigode. Flaviano piorava a bebida. Soprou a brancura para longe.

Ao largar sua mulher ciumenta, jurou que teria mais tempo e poderia frequentar as amantes com intensidade. Rosnou de felicidade aos colegas de trabalho: "Um pequeno passo fora de casa, um gigantesco salto de cerca."

Não se preocuparia com os horários apertados, completaria programas com longevidade e folga, avançaria na madrugada, tiraria o atraso do cinema. Dependendo do bom humor e da brisa, cederia ao luxo de andar de mãos dadas com uma delas na Usina do Gasômetro. De repente, até dormiria de conchinha e permaneceria para o café da manhã.

Coisas que nem sonhava quando casado.

Aceitaria os romances à luz do dia, sem controlar os lados, rasgar os recibos e desconfiar de conhecidos.

Acabava a pressa clandestina.

Afinal, as amantes desejavam namorá-lo, exaustas da monotonia dos motéis e ladeiras, das frestas e desculpas.

O divórcio produziria uma derradeira recompensa romântica às outras, livres da exclusividade matrimonial dos finais de semana e dos feriados.

Agora o harém cantaria alto. Agendaria uma noite com cada uma e não se prenderia a mais nada que não fosse seu prazer.

Mas o que aconteceu foi totalmente inesperado. Separado, ninguém mais o desejava. O telefone não tocava, torpedos não barulhavam a mesa. Ele ficou se sentindo menos do que um asilo. Menos porque sequer tinha horário de visita.

Flaviano descobriu uma verdade cortante: as amantes morrem com a esposa. Desaparecem com o divórcio. Não há como carregá-las para uma nova relação.

Elas são estranhamente fiéis.

ESQUEÇO QUE TENHO UM PAU

Os jornalistas e leitores sempre perguntavam para Juan Rulfo se ele não voltaria a escrever.

Autor dos clássicos *Pedro Páramo* e *Planalto em chamas*, o mexicano retrucava que não, armado de evasiva lírica:

"Meu tio Celerino morreu, era ele que me contava histórias."

Eu tive também um tio, mas somente comecei a escrever depois de sua morte. Sofri o avesso perfeito da síndrome de Rulfo.

O tio Hamilton não entendia patavina de literatura. Era o conselheiro sexual dos jovens da família. Um sedutor inveterado, com seis casamentos e muitas namoradas.

Um fracassado social aos adultos, um ídolo para os adolescentes.

Ele tomava uma cervejinha, fugia do contato mercantil e chato da mesa grande dos irmãos e sentava entre a gurizada na frente da tevê para descrever façanhas, gafes e histórias impossíveis de libido.

Suspirávamos.

Uma mistura exótica e verbal entre revista pornô, Marquês de Sade e Florbela Espanca.

Para os primos com a sexualidade em carne viva, arrebatados pelos desejos proibidos entre as próprias primas, um encontro com ele respondia a uma catequese do inferno. Lógico, ninguém faltava. Já queríamos pular direto para a crisma.

Em seus últimos dias de glória mundana, Hamilton largou uma sentença que marcou minha vida. Foi uma alfinetada, um piercing na língua. Poderia ter criado em mim um trauma naquela época, porém ele me advertiu para guardá-la e usá-la depois dos trinta anos.

Girando o copo de cerveja Polar, criando artificialmente um temporal de espuma no vidro, Hamilton me confidenciou:

— Ao trepar, esqueça que tem um pau.

Como esquecer que tenho um pau? Como transar e esquecer que tenho um pau? Vou fazer o quê na cama? Homem não é feito de pau?

Aceitei a herança como um delírio de um moribundo. Concordei para ajudá-lo a partir sem remorso

Mais velho, experiente na textura dos lençóis e formatos exóticos de espelhos de motéis, a frase abriu-se como um segredo de Fátima do gozo feminino.

Hamilton descortinava razão em sua loucura.

Quando transo, devo ser um eunuco. O eunuco é o homem feminino. Não carrega um pênis para atendê-lo de imediato. O pau estraga a constância. É egoísta. Apaga a mulher pela sua dádiva líquida. Homem com pau só se masturba. O eunuco não. O eunuco transa de verdade. Abandonará a finalidade, o destino, a função. Não terá pressa em se contentar. Fará com que sua língua se dobre como um joelho. Vai demorar o rosto mal barbeado nas costas femininas.

Sexo oral para ele é tudo. Carícia é tudo. Beijo é tudo. Não são vésperas. Preliminares não são obrigações cordiais. Ele não esconde a ansiedade na educação, não há motivo para controlar e disfarçar seu orgasmo. Cada gesto é sua penetração. Desenhará a mulher com uma lentidão torturante. A noite será breve perto de suas expedições pelos contornos. Nem depois de ela gozar se verá encerrado. Permanece com a disposição viral do início.

Mas Hamilton esperava que completasse seu pensamento.

— Ao trepar, esqueça que tem um pau. Deixe que ela o encontre, como se ele estivesse perdido em seu corpo.

O INFERNO É O EXCESSO DO BEM

Folheava com admirável assombro um livro de gravuras sobre o inferno.

Mundaréu agonizando castigos indescritíveis. Vítimas de chicotes, fogueiras e arreios. Mulas de pedra e dor. Um mar de cotovelos e joelhos estalando no precipício.

Os pais me emprestaram as pinturas para ficar com medo de pecar e só aumentaram a minha curiosidade.

Não levei a sério. Se fosse verdade, o masoquista faria reserva do caldeirão.

Discordo que o inferno seja a privação do que gostamos. A renúncia do que não valorizamos.

O inferno é o que a gente ama, mas em excesso.

Lembro da torta de nozes. Era apaixonado, comia uma fatia por noite durante anos. Botava guardanapo na gola para naufragar a barba no creme. Hoje não suporto o cheiro. Tortura seria me colocar dentro de uma vitrine repleta do doce. O mesmo ocorreu com a panelinha de coco, o alfajor, o chocolate em barra.

Alegria em demasia é tristeza. Quem repete três vezes seu prato predileto tem rosto de velório.

O paraíso é o bocado, o gole gostoso, o pouco intenso. Deixar o que se deseja para depois e nunca deixar o desejo.

As mulheres reivindicam homens românticos. Pedem escandalosamente um perfil gentil, amável, cordial, obediente, misto de agenda (capaz de lembrar todos os aniversários e datas comemorativas) e diário (que escreva poemas e preencha cartões floreados). Na hora em que encontram o sujeito sonhado, querem distância. Consideram a figura grudenta, gosmenta, tediosa. Resmungam que é muito submisso (se você vem sendo chamado de fofo pela namorada está a um passo do despejo).

Os homens procuram mulheres com irrefreável apetite sexual. Para ter sexo a cada turno. Sem enxaqueca, trabalho e preocupações familiares. Caso pudessem, adotariam arquitetura de motel no quarto com retrovisores na cama.

Pois quando se deparam com uma ninfomaníaca viram monges. Usam pijamas listrados. Decidem discutir a preliminar. Forram a cabeceira com dicionários. Revelam traumas de infância.

Torna-se insuportável trepar a cada quinze minutos e não terminar um pensamento inteiro. Não é mais questão de virilidade, é de sanidade. A transa depende da lembrança para renovar a imaginação.

Qualquer cinéfilo que assista a 12 horas de filmes fugirá da tela em branco. Qualquer médico que fique 36 horas de plantão desistirá de suas mãos.

O exagero do bem enjoa. O exagero do prazer é o inferno.

CAIXA DE MENSAGENS

Prometi fazer faxina em minha caixa de endereços. Limpar os nomes duplicados, uniformizar os conhecidos, distribuí-los pelas suas cidades. Dediquei a manhã e a tarde para uma atividade que julgava cumprir em uma hora. Trabalho chato, porém indispensável. Assim como meu pai nos botava a retirar o osso do peixe para merecê-lo.

Encontrei o nome de um amigo falecido. Ao deletá-lo, apareceu a mensagem perguntando se tinha certeza daquilo. Vacilei. Era como se o próprio finado me questionasse se o apagaria da minha vida. Pressionado, ninguém tem certeza. Eu, muito menos.

Seria enterrá-lo de novo. Desprezar a sua lembrança.

Espiei os contornos da cortina, a caçar vultos se mexendo. Respirei fundo e tratei toda aquela suposição como bobagem, estresse. Ele não conseguiria responder, de que valeria manter seu nome para ocupar espaço? (E, na hipótese de retornar, ficaria dominado pelo pavor, ainda que fosse uma resposta automática.)

Mas o mal-estar não desapareceu com o meu realismo. Agravou-se.

Raspava o teclado como um soletrador de piano. Não pulava de tecla. Sentei em mim, denso, com as costas do mar em meus ouvidos. Bateu uma moleza de sesta, um aborrecimento antigo.

Caso eliminasse o amigo, poderia finalmente esquecê-lo.

"Não faz isso, Fabrício!", falava comigo.

Evitamos recordar os mortos para nos afastar da morte. Só que ele não era a Morte, mas alguém que amava. Ou melhor, alguém que amo — meu amor não desapareceu com ele.

Desejava — sim, claramente desejava — sua sobrevivência em meu catálogo. Como uma resistência do seu suspiro, uma reserva de reza. Que os outros me considerassem louco e distraído, não haveria problema. Não devia dar bola por conversar sozinho.

Toda vez que passava o mouse pelo seu e-mail, eu ria de algum momento feliz que experimentamos. De uma gafe. De uma provocação. Recobrava uma vontade de espiar nossas últimas mensagens. Pensava nele, seu nome já produzia eco. Pensar: um modo mais rápido de escrever.

Mortos e vivos são vizinhos em meu Outlook.

Não facilitarei o trabalho de Deus ou dos vírus.

AROMA

Eu gostava quando algum colega ficava doente e surgia a possibilidade de visitá-lo no hospital. As visitas contavam até com horário restrito. Batia-se à porta com o pedido de "licença", arrastando as vogais. Os corredores de azulejos lavados, brilhantes, para fazer silêncio, por favor.

Não era qualquer um que entrava, eu me fartava de predicados. Reagia como um felizardo. Dissimulava o contentamento por educação, armava um suspense de pesar: "O que houve? Nossa, vai melhorar logo..."

Eu me via como um eleito. Um escolhido sussurrado para festa. Para esses convites, minha alma não tinha varanda, logo estava na rua. Não esperava que ele se recuperasse, não desperdiçaria os primeiros capítulos do espetáculo. Quanto pior, mais rituais. A gravidade acentuava os cuidados médicos.

Infelizmente tive poucos amigos que se acidentaram.

Invejava as dores verdadeiras, as dores de osso, de chapa e cama com manivela. O doente desfrutava de uma campainha ao lado do abajur. Uma campainha só para ele! Uma campainha de dentro para fora. Admirável. Invejava o avental branco de dormir, com corda grossa de padre. E as risadas das enfermeiras que faziam cócegas no queixo e me condicionavam a virar o rosto com a comoção da penugem. Elas trocavam o lençol com uma disposição de domingo. Embevecido, não desgrudava os olhos do crachá azul, as letras vistosas do nome e as lapelas de azaleias.

Soa insensível o que estou escrevendo. Mas a felicidade é um mal-entendido. Quando é compreendida, deixa de ser felicidade para assumir sua posição intermediária entre lembrança e sabedoria.

Eu passeava no hospital. Vestia roupas prediletas e, como quem aguarda a namorada para entrar no cinema, ansiava o longo elevador (vinte andares, uma viagem para cima a um menino acostumado com casas baixas).

O que mais me alumbrava era o cheiro da lancheria. Que cheiro gostoso de tumulto. Não há maior sinal de vida do que lancheria de hospital. O melhor olor criado do fogo. A inquietação de recreio. Vapor de torrada e suco de laranja. A coxinha parece feita na hora, o pastel não é um deprimido bêbado, milfolhas ainda está na primeira edição. Como não convalescer diante de uma lancheria de hospital?

É o contrário da doença. Na falta de leitos, levaria todos os pacientes para lá. Nada de sopa de ervilhas ou comida balanceada. Indicaria a todos os enfermos que inspirassem, a pleno pulmão, os ares da lancheria. Realizaria uma nebulização coletiva com o perfume de sanduíche acordado e leite quente. Borrifaria os rostos com o aroma de crosta dourada e geleia de morango.

O olfato manda no corpo. O olfato nunca se entrega.

AFIADO DEMAIS

Nunca acertava o momento de largar o apontador. Apontava duas voltas e parava, via que a ponta do lápis estava boa, mas ainda não era ideal e continuava. Mais duas voltas, as tiras da madeira se amontoando na classe, e pensava que poderia avançar mais um pouquinho. No meio da última volta, quando suspirava de satisfação, o grafite quebrava.

Não absorvia a lição, e recomeçava. O capricho me impelia: arredondar a cabeça, afiar a pequena lança de meus deveres escolares. Não encontrava a hora de cessar, confiava que acertaria na próxima tentativa e fracassava. A ponta perfeita terminava presa no apontador de metal. O lápis ia diminuindo. E recomeçava até admitir que minha letra não deslizaria como desejava, ficaria borrada e somente o uso abrandaria as lascas.

Levamos o preciosismo ao casamento. Não definimos o instante de interromper a caça pela ponta perfeita. Exigimos muito de quem amamos. Vejo sinceramente que exigimos aquilo que não exigimos nem da gente. As brigas tornam-se absurdas, sem controle. O humor é compreendido como deboche. A consolação é recebida como crítica. A solidariedade é distorcida como confissão dos erros. Uma pausa em silêncio para remontar as ideias, e já estamos sendo inquiridos. Repetir mais de uma vez um nome feminino, e inauguramos uma adversária. Não ouse dormir cedo ou aparecer tarde, que é certo de que não valoriza o convívio e aproveita a vida com os amigos.

Pode deixar uma manhã livre para ajudar sua mulher numa tarefa profissional, que ela não lembrará na próxima semana. Pode frequentar mais vezes o mercado, apesar de detestar, e ela comentará que não colabora em casa. Se você não cozinha, terá que engolir toda noite a sentença de que não planeja as refeições ou contar com um crédito infindável no banco para chamar comida. Pode passar a tarde livre com os filhos, ou criar uma tarde para os filhos, que ela comentará que vocês vivem se divertindo. Pode tentar trabalhar loucamente para produzir algo realmente bom, e ela não entenderá a importância daquilo. Talvez diga que permanece trancado no escritório ou viajando. Nada será suficiente. Seu cansaço será identificado como falta de ânimo; sua distração será descuido. Discutirá por qualquer coisa pela birra de restabelecer a justiça. Devolverá que não é bem assim, mas não terá graça nenhuma. Reiterar o que foi feito espontaneamente é o mesmo que jogar na cara. Defender suas ações soará como um pedido de recompensa e perderá a legitimidade.

E não confie que ela está errada e só você é que sofre. Faz o mesmo com ela de outros modos.

O intrigante — que o confunde ainda mais — é que ela realmente o ama, só que jura que pode dar mais do que está oferecendo e cobra aquilo que não existe.

No casamento, demora-se a aceitar que a ponta é para escrever, não para ferir ou furar o papel.

O GRANDE TESTE

Inverno, e as mulheres pisam diferente.
São as botas. Mais determinadas. Mais intrépidas. Marrons, pretas, beges, de couro, com detalhes em lã.
Ainda mais se as botas estão acompanhadas de saia e meias pretas. Zombando do frio. Desafiando o vento das esquinas. Soltando o rejunte das calçadas. Assim como existe um controle de natalidade, deveria ser criado um controle de excitação. Dissuadir o excessivo emprego de botas no mesmo período. É um congestionamento sensual. Um ataque frontal ao pudor.
Giro o corpo e enxergo uma procissão de mulheres preparadas. Elas dobram as pernas como se estivessem armadas. As botas têm ainda mais periculosidade do que os saltos, isso quando os dois não estão juntos. Não sei o que uma mulher de saltos é capaz de fazer, tenho medo do que fará uma mulher de botas.
Tirar as botas é uma proeza. A mulher percebe o trabalho. Exige uma técnica de deslize que nem sempre funciona. Uma sucção exata. Uma pressão calculada.
Estresse e desconforto para realizar sozinha, ainda mais cansada depois do trabalho. Não tem graça. Ela repassa o estorvo

ao seu homem. Mas o homem precisa converter o estorvo em delicadeza. Transformar o problema em sedução. Transmitir a imagem de que é natural. Que nasceu para trabalhar numa loja de sapatos. Tem que convencer que é fácil fácil e soltar ao final um riso blasfemo com a pergunta: "Só isso?"

Quando uma mulher nos pede para tirar seu par, é o grande teste. O grande TESTE de nossa virilidade. Não será abrir uma lata de pepinos. Não será trocar lâmpada. Não será arrumar chuveiro. Não será matar barata que decidirá nossa vocação bíblica. Homens já foram descartados da relação por não conseguirem puxar as botas com elegância.

Homens que não identificaram o heroísmo do ato e se enganaram com a medição dos pulsos e foram bárbaros e boçais e levaram as meias de arrasto. Homens que bateram com as costas no armário, tamanha a concentração desmedida dos dedos. Homens que provocaram torções e arranhões imperdoáveis pela rudeza do trato.

Ela está deitada, vulnerável. Posicionada para um longo piquenique sexual. Repassou uma confiança absurda para seus ombros. Observa assustada. É o equivalente a perder a virgindade.

Cuidado para não ser cômico; muito menos acintoso. Não pode provocar barulho. É o primeiro sinal de que está conseguindo. Segurar as solas com a mão completa. Mão cheia. Um arranque e suavidade. Não é crescente o processo de marchas: primeira, segunda, terceira, quarta e quinta. É alternadamente confuso, entre ganhar velocidade e recuar: quinta marcha, primeira, segunda, terceira, quarta. Aliás, o primeiro movimento é de ré. Um empurrão para dentro, como se estivesse colocando de novo o calçado. Um sábio despiste que facilitará a saída.

Enganará a bota com esse gesto. A bota é burra, não compreenderá o falso ajuste, concluirá que desistiu. Depende dele para seguir. Sem a ré, encontrará resistência, retranca, medo. Porque as botas são ciumentas, detestam concorrência, não pretendem ser divididas. Seu duelo é com as botas, não com a mulher.

Aos poucos, as botas se soltarão, cobrindo as mangas de sua camisa.

E conhecerá o que pouquíssimos varões desfrutaram. O agradecimento das pernas. O abraço definitivo das pernas dela. O abraço que os braços nunca experimentaram.

MEU AMOR, EU PAGO

Não conheço apaixonado avarento. Não combina, não tem sentido.

Apaixonado não cobra recibo, não solicita nota. Cultiva as férias em horário de trabalho. Empenha o 13º em abril. Compra roupas, presentes, perfumes. Está sempre com uma sacolinha a tiracolo. Patético, aniversaria com meses de antecedência.

O apaixonado é um perdulário inato. Gastará o que não recebeu, enganará o limite de uma conta com a outra, jogará alto blefando ou com mão boa.

Ele não seduz, pede falência.

Quando está amando, nenhum homem enriquece. Não há como guardar qualquer coisa procurando agradar uma mulher e a si. Ele esconde o que não tem para poder mais. Sua desinformação é taquicardia. Chama da adega o vinho mais caro, não brigará com garçom pelo erro da conta, será simpático com o arredondamento dos preços. Dá gorjeta para mendigo que guardou sua sombra. Esquece de tirar o extrato bancário por semanas (desconfie: se algum apaixonado tira o extrato está fingindo).

Cada vez mais me reconheço como um retrógrado. Pode me chamar de qualquer coisa, menos de transgressor. Sou um vetusto. Velho é pouco para minha intransigência.

A companhia feminina não pagará a conta. Inegociável. Meu pai, meu avô, meu bisavô dentro de mim me empurram a abrir a carteira e deixar de frescura.

Mesmo não tendo sido convidado, sou eu que pago. Machismo, mas machismo com ternura. É nada sedutor quando um homem estabelece a partilha na calculadora do celular. Cobra inclusive os centavos de sua parceira. É quebrar mais do que os números. É antecipar o divórcio antes do juiz.

Já escuto você se defendendo: estou duro, o que faço? Ora, fica em casa.

Vexame é depender de favor. Melhor faltar crédito no banco do que com ela. Melhor um título protestado do que a própria masculinidade. No amor, a mentira é a primeira verdade. Crio um fiador na hora, solto um cheque voador e depois encontro um jeito de ele pousar na plantação de joio.

Em restaurante paulista, no momento de abrir a tabuleta, amigo rascunhou a soma e reivindicou a metade exata para sua namorada. Ela não tinha, ele completou. Ufa!, suspirei, até que ouvi:

— Amanhã você me devolve trinta reais e cinquenta centavos.

Como transar romanticamente depois das taxas? Como namorar e flertar após recriminação do orçamento?

Quem divide a conta não divide a vida. Algo será cobrado no dia seguinte. A desconfiança tem juros.

Homem descobriu no avanço dos hábitos uma forma de prosperar sua avareza. Estou fora do feminismo de fachada. Um feminismo barbudo.

NÃO SE PODE APAGAR A LUZ
DENTRO DA VOZ

Nunca fui fã de revistas pornográficas. Com zoom nas pernas, nas coxas, na bunda. Emagrecia minha imaginação.

Meus amigos tinham edições bagaceiras. Fotos escancaradas que possibilitavam enxergar inclusive os pelos encravados das mulheres. Disputavam bizarrices, relações com animais, orgias. Trocavam arquivos nos recreios.

Eu não participava do animado sebo. Zelava pela simplicidade da tinta preta em fundo branco. Permanecia solitário no arrepio.

Estranhava os empréstimos, ceder uma revista para alguém se masturbar. Na hora de folhear, duvidaria de outra origem para as páginas coladas. O papel tinha que ser virgem — o papel do primeiro encontro, novo como um envelope.

Minha adolescência avançou convulsionada a desenhos e cartas eróticas. Ficava muito mais excitado com a letra do que pela exposição. Pelo desenho do que pelo detalhe abusivo.

Nem precisava esconder a bagagem proibida dos pais. Não me trancava no banheiro para me avolumar de presságios.

Com os dedos marcando as linhas, decorava as descrições de fantasias de anônimos, dos namoros fulminantes e casualidades fatais. Relatos sem nomes, somente com as iniciais. Meu erotismo foi crescendo em bilhetes de sequestro, maiúsculas separadas por pontos. Aquele ponto já me seduzia. Aquele ponto fazia o papel de cama.

Sexo nunca foi desafogo, descarrego, relaxar. Traio minha natureza para ser fiel ao ritmo cardíaco, que para e bate. Cessa e volta. Dependo de pausa para me admirar vivendo.

Não queria gozar, mas entender como gozava. Explicar-me. Fotografar o ar, o instante em que a contração atravessava o assobio.

Minha paixão é perversa, não pornográfica. Hostilizo depois, bem depois da intimidade. Confio em violência recomendada pela ternura.

Não me interessa chegar logo à rua, e sim percorrer primeiro a calçada. Preparar-me na metafísica do esbarro, reparar o desenho dos azulejos, acenar forte com a respiração.

Valorizo os movimentos implícitos, enxergar o que o vento não cobriu, comemorar provocações.

Devo ter algum problema, meus olhos demoram a vir, endureço por frases de arrebatamento e desconstruções gramaticais.

Obcecado pela gramatura da voz, pela entonação possessiva, pelo abandono progressivo das formalidades, abalo-me por uma expressão lasciva. Meu ouvido acelera o quadril.

Eu me tonifico com as roupas espalhadas pelo chão, não com um par indiferente de pernas esticadas.

As bordas me centram. A alça caindo do vestido aquece minhas mãos. Uma calcinha presa nos joelhos formiga os lábios. Um pedido desenvergonhado alarga os ombros.

Sou um cara que ainda procura história em filme pornô. E o amor no sexo.

FOBIA DAS FOBIAS

O ansioso tem direito a três fobias. Mais do que isso, é ambição e vira doença.
    Eu mesmo é que determinei a medida para não depender de especialistas. Sofro por antecipação, o que me põe a ensaiar a cena para diminuir o sofrimento. Só que organizo eventos para os atos mais minúsculos, dobrando o martírio no fim das contas. Em vez de sofrer na hora, sofro um dia inteiro pensando na hora que vou sofrer. O incômodo passageiro é um desconforto permanente. Banalidades do cotidiano geram desproporcional tremedeira. No intuito de preveni-las, eu me canso em hipóteses pessimistas, desculpas furadas e boicotes.
    Carrego uma postura catastrófica. Sou dramático nas amenidades, sóbrio nas tragédias. Sinto o pânico no lugar errado e no momento errado. Serei tranquilo num deslizamento, numa enchente, num incêndio. Mas perderei a lisura ao não encontrar um livro em minha biblioteca. O fóbico não é o que usa uma lupa para ampliar o tamanho das coisas, mas fixa a lente com tamanha insistência que acaba queimando o que vê com o reflexo do sol.

Meus medos são modestos. Exótico é o Roberto Carlos, que somente executa curvas à direita ao volante (chegará sempre a Brasília).

Irreverente é o compositor Arnold Schoenberg, oposto do Zagallo. Sofria de triscaidecafobia, pavor do treze. Seus raros erros estão concentrados no compasso desse número.

Estranha é a poeta Emily Dickinson. Permaneceu vinte e cinco anos reclusa em sua residência em Massachusetts. Consta o registro que saiu duas vezes do quarto para visitar o oftalmologista.

Existem fobias para qualquer drama. Não há limites no céu. Fobia de estrelas (siderofobia), por exemplo. Imagine o neurótico, que mora sozinho com o cachorro e tem que levá-lo para mijar. Olha a janela, repara o céu espocando brilho, e lamenta: "Hoje não, Rex, aguenta aí!"

É um museu infindável de opções. Um playground masoquista. Fobia de ficar sentado (tassofobia), que atinge grande parte dos espectadores de Gerald Thomas; ou fobia de espelhos (isotrofobia); desperdicei a chance de cativar a mania na infância. E fobias terríveis, absurdas, indesejáveis inclusive aos inimigos, como de nudez (gimnofobia) e de sexo (genofobia).

Minhas dificuldades ainda não possuem nome científico. Uma delas é dar ré num carro no estacionamento lotado. Que tal apelidar de refobia? O globo ocular distorce a pacata garagem numa jamanta pré-histórica. Dezenas de veículos balançam nas costas do animal, que rosna e me ameaça. Entro na festa ou no restaurante em pânico, antecipando como me livrarei da manobra. Não solicitarei ajuda, é certo, o fóbico não confessa o que incomoda por vergonha. Suportará — em segredo — as alucinações. Tem consciência do ridículo de seu receio. A absoluta incapacidade de nomear engrandece o obstáculo. Ao mesmo tempo em que se cala, pondera que o ambiente inteiro repara nele e aguarda o vexame. Suará frio, umedecerá o rosto no toalete, não conversará nada que preste.

A segunda complicação comigo é a faca no café da manhã (proponho a alcunha de manteigageleiafobia). Meu pai conservava o ritual de me agradar e preparar bolachas com geleia de morango. Antes colocava manteiga em seu pão. Não mudava a ordem do gesto, muito menos limpava a lâmina na transição dos potes. Eu detestava manteiga. Comia a contragosto os resquícios brancos na crosta dura de sal, sem a mínima capacidade de reação, de falar um simples e educado "deixa que eu faço".

Eu vejo que terminei fóbico pela independência. Sendo mais claro, sou dependente pela ilusão de independência. Acredito que ninguém tem condições e entendimento para me socorrer. Muito menos eu.

De todos os males, o que não suporto de verdade é que ofenda os inofensivos hábitos de Transtorno Obsessivo-Compulsivo. Fóbico é um chamado carinhoso e me permite continuar vivendo.

Quem diz que não estou contraindo a fobofobia, o medo das próprias fobias? Já seria um amadurecimento.

FILHA?

O casal é uma gangorra. Um dos dois precisa estar acabado para que o outro possa rejuvenescer.

É a minha vez. Bem que minha namorada tentou tirar o ranço de mais velho. A nostalgia é como uma gripe malcurada. Qualquer resfriado, e retorna o desânimo inicial.

Foi justo quando parei de dizer "no meu tempo", "na minha geração", "não somos da mesma época". Recuperava minha juventude ou disfarçava o peso com a irreverência. Controlava os impulsos saudosistas e as referências aos filmes, seriados e desenhos da década de 70. Mas fracassei. Venho me sentindo mais feio do que na minha infância e mais esquisito do que na minha adolescência, o que não é difícil conhecendo meu biotipo. Não é depressão; depressão pode ser tratada.

Entrei num período em que não me sinto admirado, confiante, independente. Experimento o vácuo de personalidade. Qualquer palavra é áspera, qualquer amor não é suficiente. O mundo inteiro passa ocasionalmente por isso, quem se aproxima dos quarenta passa todo dia. O primeiro choque foi na bilheteria do cinema. Uma espectadora me afofou como se fosse de brinquedo, parecia um garoto de programa. Faltou somente enfiar notas em minhas cuecas.

— Nas entrevistas na tevê, você é mais feio e mais gordo. Assim parece menos horrível.

Era na entrada do filme, desfrutaria de duas horas para apagar os resquícios do ataque. Comi um saco gigante de pipocas, mais pela ansiedade do que pela vontade.

O drama eclodiu no primeiro andar do mesmo shopping. Circulava pelo supermercado com o Vicente, curtindo sua euforia de se antecipar à lista das compras e buscar itens nas prateleiras mais distantes. Uma leitora se esgueirou nas frestas dos refrigerantes e me fez cara de "achei!"; os traços sorridentes de coruja acordando a árvore:

— É o escritor?

— Sim, sou.

— Ah, é seu filho?

— Sim, é.

— Eu só o vejo com sua filha. Não o conhecia.

— Não deve ser, minha filha mora em Brasília.

— A gente sempre comenta como o amor de vocês é bonito. Vivem se abraçando, coisa que não é natural entre pai e filha.

— Não é minha filha, está errada.

— Claro que sim, tem cabelos negros, um pouco mais baixa do que você, gosta de vestidos.

No instante em que você é reconhecido como pai da namorada, dispense qualquer preocupação estética. Terminaram as pretensões. Pode usar suspensório, beber cerveja de roldão, sair de casa com polainas. Não há como piorar a aparência. Não se preocupe mais com a cintura. Aceite a velhice, a barba branca, a ausência de comunicação com os jovens. Morreu, agora é escolher entre ser enterrado ou cremado.

Tenho uma diferença de oito anos com a Cínthya (29), a senhora cumpriu o prodígio de dobrar a idade. Para ser pai dela, mesmo forçando a barra, necessitava da distância de 16 anos. Ou seja, ela calculou que minha idade girava em torno dos 45/50. Engatinho na crise dos 40, ela me convoca para pular etapas.

Já sofria em silêncio ao ser confundido como o primogênito de casa, sendo que sou o terceiro dos quatro. Aturava quando pediam minha carteira de identidade para comprovar a data do nascimento.

Ela não me questionou, concluiu. Diante de sua convicção, eu me enxerguei em desvantagem com o próprio passado.

É demais. Logo serei preso por pedofilia.

ATAQUE SEDUTOR

Minha namorada tem um cãozinho. Cora. Branca, com o pelo fofo, graciosa, carismática. Não me estranhou nas primeiras visitas. Faço carinho forte em seu pescoço para mostrar autoridade. Quando ela me enxerga, dá piruetas, cambalhotas e aperfeiçoa uma mania bem peculiar de morder o rabo em movimentos circenses e repetitivos, como um helicóptero pousando.

É uma ginasta canina: apesar de mirrada (4 quilos) e de sua pequeneza de colo, pula meio metro na captura de brinquedos e ossos. Rápida, não ficaria atrás de um Grey Hound. Tem eficiência e comicidade, como Garrincha na linha de fundo. Seu andar lembra um desenho animado, com o movimento vesgo e embaralhado. Dribla a perna direita com a esquerda. Um andar fanhoso, que desperta piedade da pedra. Na hora de subir a escada, levanta as duas patas traseiras ao mesmo tempo, o que acentua a compaixão de manco. Transforma todo obstáculo em escadaria de igreja, toda caminhada em pagamento de promessa. O mistério lambe seus dedos.

Cínthya costuma levar a cadela na Praça da Encol. Acho que o nosso namoro evoluiu e poderia arrematar mais um grau de compreensão: partilhar o cachorro.

— Deixa?
— Não é incômodo? Não sei se é uma boa ideia...
— Sim, será divertido. Sim? Sim?
— Ok, tome cuidado ao atravessar a rua.
— Fique tranquila, espere em casa que a gente já volta.

No Ano-Novo, colegas escrevem carta de intenções, o que deve ser feito para melhorar a vida nos próximos doze meses. Eu também, mas de segundas intenções, e mastigo o papel para não sofrer constrangimentos. Passear com cão para seduzir era uma delas.

Debaixo de minha generosidade, escondia a astúcia de testar a Cora como chamariz feminino. Uma isca para pescar tubarões loiros e morenos. Fácil começar um assunto despretensioso com a mulherada sobre seus filhotes. Estão mais acessíveis do que nas baladas, onde é arriscado sobreviver ao exame rigoroso das amigas. Encontram-se leves na praça, vulneráveis, dispostas a confessar qualquer coisa sobre pet shops, efeitos de xampus e medicações, qualquer detalhe do cuidado animal. Nem um pouco dificultoso entabular um papo.

"Que lindo, que raça é?, como é bem-cuidada, moram perto?, sempre vem aqui?, qual o signo do cão? e o seu?, mesmo?, eu faço igual, como temos afinidades!, me ensina a receita?, me deixa seu telefone para pedir conselhos."

Feito, não precisamos de mais nenhum pré-requisito a não ser amar cachorros. Tudo fica ainda mais excitante se os bichos decidem trepar em nossa frente.

Aprendi a cuidar da guia, a mantê-la próxima de mim, arrumei saco plástico destinado à higiene e parti na minha missão sagrada. Sentei no banco de madeira e aguardei o assédio. Porque não precisava me aproximar de ninguém, bastava aparecer no clube a céu aberto e juntar as sobrancelhas de responsabilidade. Quanto mais tímido, mais confiável.

Cora brincava com os cadarços soltos de meu tênis e, de repente, uma jovem morena e gostosa se aproximou.

— Que bonitinha, é sua?
— Claro que é, Cora.
— Qual raça é?
— Cusco, uma mistura com Terrier.
— Ah, você adotou?
— Meu coração não resistiu ao olhar carente dela.

(Já me projetava no cachorro, criando uma linguagem ambígua e indireta.)

A conversa seguia exatamente como ensaiei, a moça tinha traços tailandeses, fogosos. Seu cachorro era um Jack Russel, de nome Rolo, raça que sinalizava um espírito de aventura.

Botei a Cora em meu colo, amansei meu nariz em seu focinho, preparando o agrado final, que geraria intimidade para confissões arrebatadas.

— Posso tocar?
— Sim, é mansa. Ela vai abanar o rabo de felicidade.

Seus dedos avançavam maravilhosos e torneados de anéis, as palmas abertas como uma escova. Quando ela foi tocar em suas orelhas, Cora produziu um salto fulminante, imprevisível. Sequer latiu antes do ataque. Não consegui contê-la. Com os dentes, puxou uma mecha da moça, gerando gritos afobados, gemidos histéricos e uma forçosa inclinação da cabeça.

Ainda ficou rosnando com o aplique arrancado. Salivando como um Fila albino em miniatura.

— Ela é horrível, você é horrível, não devem estar aqui. Vão embora.

— Desculpa, é a primeira vez que acontece...

Fugi do convívio correndo, proscrito do Bela Vista, ameaçado eternamente de desterro, proibido moralmente de frequentar o entardecer naquele lugar.

Não imaginava que Cora tivesse ciúmes de mim.

OVOS QUEBRADOS

Chega um momento em que a relação precisa quebrar os ovos. É bom estar preparado.

Será como o trabalho doméstico: transparente. Lavamos a louça, estendemos as roupas, retiramos os vincos com ferro, limpamos a casa, recolhemos o lixo, arrumamos os brinquedos, e os filhos nem reparam que tudo está no lugar e no armário, apesar da bagunça feita recentemente. É óbvio que não vão agradecer. É o que chamo de passado secreto. Aconteceu, mas não merece memória. Entretanto, a raiva fica: não fui valorizado, e resta um desmemoriado mal-estar.

Minha namorada resolveu comer omelete. Ela já fez o prato outras vezes em seu apartamento.

Estava em casa e me antecipei na captura dos ingredientes. Mas a minha menção de executar a tarefa a desagradou. Entenda, é o passado secreto. O ardiloso passado secreto. Com minha efusiva disposição, ela desconfiou de que não gostava de suas omeletes e que somente agora, decorrido um ano, estava com coragem de falar.

Raciocinei que significava uma informação dispensável, meu modo era dourar os dois lados, e o dela era envelopar a massa ao final, mas ela tratava o assunto com tamanha energia que até me assustou.

— Quer que eu faça?
— Não gosta do jeito que faço?
— Gosto, é que eu mostraria...
— Gosta nada, quem já fez omelete para você? Quer do jeito de quem? Confessa.
— De ninguém.
— Ora, vai nessa, qual é a receita? Com queijo ralado, requeijão, fatias? Por que nunca me disse que não gostava da minha omelete? Eu me sinto uma idiota...
— Eu gosto, só busquei uma maneira diferente.
— Que maneira?
(Daí eu me danei.)

Levaremos mais tempo discutindo na tentativa de prevenir a discussão. A conversa durou duas horas. Duas horas sobre absolutamente nada, a não ser o medo do que não foi vivido junto. Se aliso seu umbigo, acreditará que repito um convite libidinoso com uma antiga namorada. Quanto mais a gente se entrega, maior é o pânico de estar sozinho na doação, de ser uma miragem afetiva. Tanto que após desfiar um "eu te amo tanto", não ouse nunca mais declarar "eu te amo" — é como se amasse menos.

O ciúme está dobrado em cada gesto, fazendo contas e pedindo estornos. Não há saída; passe manteiga na conversa, aqueça a frigideira e admire os ovos quebrados na pia.

A HIERARQUIA DA CARNE

Quando entramos numa churrascaria, esquecemos o bom-senso. Ficamos meio primitivos, animais rosnando, sem tempo de repor o guardanapo na boca. A vontade é pegar a carne com as próprias mãos, cortar com os dentes e sentir o sangue escorrer pelo queixo.

É o fim da etiqueta. Não há declaração de casamento que possa ser feita num espeto corrido. O noivo abrirá a caixinha aveludada do anel com as mãos gordurosas? Como começará o assunto?

— Amor, queria dizer algo importante...

— O quê? — A possível noiva tenta se desvencilhar do bife e acelerar as mordidas.

— Tudo bem, eu espero terminar o pedaço...

Só que chega outro e outro e outro pedaço, e não existe pausa de cinco minutos para uma confissão arrebatada. E o possível noivo suará frio, assustado com o número de pedidos de sua musa e logo vai concluir que não terá dinheiro suficiente para manter o relacionamento.

Toda mesa é uma jaula com fome. O espeto corrido tem suas artimanhas, toalha de mesa de papel, que será retirada com o novo cliente, palitos Gina para usar tanto na dentição como de colher no cafezinho, e os potes de farinha branca e mista, que servem para a criança brincar de escorregador no prato.

O que predomina no salão é uma melancolia de ossos. Um sentimento de inferioridade na saída, uma desilusão de que nunca seremos capazes de dar conta do recado. Há um desespero auditivo, com ofertas das mais diversas carnes disparadas de todos os lados, um desespero olfativo, complicado diferenciar os cheiros, e um desespero gustativo, o medo de perder aquela joia da brasa, o que impele o freguês a aceitar indiscriminadamente o que aparece pela frente.

Churrascaria é uma festa de família somente com desconhecidos. É muita intimidade para ser partilhada com estranhos. Impossível ser educado, não arrotar, não cometer alguma gafe. É coisa para vikings.

Mas há uma hierarquia secreta entre os garçons, que poucos reparam, tão concentrados em compensar o valor do rodízio.

Já enxergou jovem segurando o espeto de picanha? Claro que não. É arte para veterano. O garçom da picanha será o mais antigo da casa, o general da faca. É o funcionário graduado, com medalhas de combate nos esbarrões. Localiza os clientes pela colônia e tem a patente abaixo unicamente do dono do restaurante.

Em seguida, descobriremos o protagonista dos filés, um agente secreto entre a cozinha e o bar, com informações quentes dos andares da churrasqueira e da disponibilidade real do frigorífico.

Depois, os atendentes da maminha, do vazio, da alcatra e do lombinho, um terceiro escalão ainda digno e solicitado, que costuma fazer o maior número de piadas para galgar posições e a simpatia dos comensais.

No quarto bloco, os amigos do matambre, da costela, do cupim e da costelinha de porco, um grupo modesto, com no máximo três anos de ofício. Ambiciosos, porém sofridos com o excesso de rondas. Recebem um salário um pouco mais alto do que o guardador de carros. Escutam excessivas recusas, dependem de plantão psicológico para suportar a desvalia e a negatividade do trabalho. Obrigados a explicar, a cada instante, que a "picanha já vem". São conhecidos como a esperança do boi. Discutem o relacionamento de madrugada com a mulher, sempre inflexível com o posto do marido, teimando que ele é frouxo e deveria tentar se impor e aumentar as estrelas do avental.

Na rabeira, encontraremos os gurizotes. Sim, os estreantes, com espinhas na cara e barbicha de bode, admitidos recentemente no lugar, que necessitam experimentar privações e vexames para se tornarem homens duros e bravos, preparados ao selvagem atendimento do público. Eles pastam mais do que passam. Responsáveis por carregar bandejas de coração de galinha, de salsichão e de abacaxi. Não desfrutam o direito de manejar espeto e lâminas de guerra. Estarão abastecidos de patéticas colheres e pegadores.

Formam uma brigada inofensiva, de garotos de recados. Experimentam a suprema humilhação numa churrascaria: são os únicos garçons desarmados.

O LADO PREFERIDO DA CALÇADA

Como filho do interior, conservo hábitos. O respeito pelos rituais herdados de meu pai, de meu avô, de meu bisavô. Assim como não perco o interesse ao espiar o entardecer e conferir como será o último gole de rio pelo sol alaranjado.

O armário afetivo não dispensa gentilezas e mantas quadriculadas: aguardar que a companhia se sirva para somente comer, puxar a cadeira, abrir o guarda-chuva, acompanhar até em casa e esperar que entre para se despedir.

Hábitos masculinos. Alguns dirão que são antiquados; outros, românticos. Ao invés de discuti-los, eu me satisfaço em perpetuá-los.

Dentre eles, o que mais valorizo é manter a mulher no lado interno da calçada. Não permito que escape para o meio-fio. Serei antipático quando contestado. Serei grosso para preservar minha educação. Que ela permaneça na banda do céu no jogo da amarelinha. Meus sapatos estão acostumados a desenhar os limites do giz. É uma dança, a regra de uma dança, como levar a parceira ao salão com a mão esquerda e conduzi-la com a direita. Conduzir não é arrastar. É ter firmeza para a resposta.

Não a deixarei perto da rua, vulnerável aos atropelos da vida, à visão elétrica dos carros, ao ataque dos assaltantes. Não que a esconda, cultivo mistérios. Recebo em troca boa parte de sua sombra em meus quadris.

Claro que ela sabe se defender, mas é uma preferência musical. Minha atitude de ouvinte. Ela estará leve e debruçada nas guitarras das casas. Ainda mais se comentar a beleza de uma arquitetura e alisar os azulejos antigos como se fossem novos.

Posso ouvir com maior nitidez seus passos, a acústica do vestido. Envolver-me com o ritmo da respiração crescendo pelo esforço da caminhada. Afora os prazeres de olhar de lado e ser desafiado de perfil.

O cuidado de cuidar. Andar certas quadras com a sensação de proteger desarma os homens. Confiantes, confessam, inclusive, a infância e o que não lembravam.

O homem visita a rua, por isso fica de fora, com seu corpo destinado ao extravio do mundo. A mulher é a própria residência a passeio, a intimidade de um telhado capturada pelos cabelos.

Mulher merece estar no lado de dentro do homem, no forro das árvores, com a paciência de nosso corpo e a escolta da linguagem.

Rente aos portões, às portas, às marquises. Mais perto das vozes dos estabelecimentos e das sonoridades das janelas.

No lado de dentro. Sempre. Qualquer que seja a palavra ou a avenida. Dentro de mim.

O BARULHO É NO ANDAR DE CIMA

Enfrento alguns defeitos básicos.
Um deles é derramar água quando coloco a forma de gelo de volta. Vou empoçar a cozinha e molhar os pés.
São décadas cumprindo vagarosamente os passos da pia até a geladeira e sempre desequilibro na última hora, seja ao abrir o congelador, seja ao procurar uma fresta entre as comidas e o pote de sorvete. A ordem é frágil. Atinjo o cume, finco a bandeira, e um desmoronamento de neve termina com a paz.

Não é saudável a minha insistência, porém odeio fracassar. Não tem sensação pior do que se enganar e mentir aos outros para tentar se convencer.

Talvez não faça questão de sair de uma crise e goste realmente do pessimismo. São hipóteses para fugir das certezas desagradáveis.

Já sondei fazer um curso ou assumir a função de garçom nas férias para efetivar o equilíbrio. Duas coisas se deve ensinar ao filho para evitar frustrações sexuais no futuro: amarrar o tênis e guardar o gelo. O resto ele aprende sozinho.

Durante a contratação pela universidade, agendaram com incrível antecedência o teste psicotécnico. O RH garantia um privilégio e concedeu duas semanas de preparação. Ou seja, uma quinzena para exercitar minha paranoia e refinar o bruxismo.

Não posso esperar muito tempo, senão apodreço. Acalentei pesadelos por noites seguidas em que o teste admissional seria caminhar com a bandejinha cheia por todo o campus. Acordava gelado.

Não ria de mim, aquilo não é fácil; é um dos mais horrendos crimes da civilização, ao lado dos buracos da camada de ozônio. É a força do Inconsciente Coletivo pesando os braços.

Antecedentes devem puxar nossa espinha. Reencontramos, nas vértebras, os arrepios dos condenados injustamente pela Inquisição enquanto caminhavam para o cadafalso.

Eu me vejo próximo da tosse de Giordano Bruno, primo do suspiro de Joana D'Arc.

O problema não é meu, ninguém deseja renovar a bandeja — na maioria das vezes, encontro a morrinha com duas ou três lascas. O familiar usa e devolve, como se não houvesse nenhum desfalque. É a maior cara de pau.

Deixa o suficiente para seu uísque de madrugada, e só. Claro que descobriremos os tabletes vazios tarde demais, no momento de receber visitas e retornar do mercado com as garrafas quentes do refrigerante.

A generosidade do casal não está nas atitudes ostensivas que fazem parte do repertório de provocação e permitem flagrantes como trocar o papel higiênico ou não largar a toalha molhada na cama ou manter seca a tampa da privada.

Generosa é a substituição do gelo, uma ação sem sabor e transparente como a água. Discreta, qualquer um pode disfarçar e fingir desinteresse.

Contrariar pequenas preguiças traz sobrevida amorosa. Repondo as pedras, asseguramos a longevidade da relação.

ANTES DA DOR

Não vou telefonar, não vou mandar torpedo, apesar da vontade imensa de reatar. O orgulho assumiu meu quarto. Conversa com ele agora. Com essa governanta das minhas desvalias, do meu guarda-roupa e sapatos. Estou de castigo, protegido, ausente, impedido de responder por mim. Se fosse responder, avisaria que dependo de você, que a desejo de volta. Infelizmente sou capacho de minha angústia. Piso em minhas palavras para limpar os pés da chuva.

O desamor é treino. Não existe desamor. Existe ensaio, simulação da indiferença, controle absurdo do cumprimento. Não que não sinta nada por você, sinto absolutamente tudo mais do que nunca e não consigo comunicar. Os cotovelos latejam, a cabeça boia, as pernas mergulham numa fraqueza de maratona.

É esquisito ser seu ex. O corpo não aceita participar da greve de fome. No dia seguinte, sou seu ex-namorado. Acordei ex. Pronto. Na noite anterior, era o homem mais importante. Agora virei um estranho, um engano. É excessivamente cruel. Largar uma história em comum sem nenhuma desintoxicação, tratamento. Sem nenhuma antessala para chorar, berrar, espernear, expiar a febre. É muito mais grave do que um vício.

Quando você ardia alguma angústia, dizia que logo passava. Não passará logo. Fingirei. Fingirei que me darei melhor sozinho. É uma estrondosa mentira que também acreditará porque não tem escolha. Sou uma mesa para dois, serei sempre uma mesa para dois. Levarei minhas malas para ocupar a cadeira ao lado. Enfrentarei o questionamento: "Onde você anda?", nos lugares em que frequentávamos juntos. Explicarei que brigamos, escutarei dos amigos que é normal e que logo faremos as pazes, comentarei que é definitivo por educação e para não sofrer mais.

O ex mente, integralmente mente, complicado porque você me ensinou a gostar da verdade. Não tivemos filhos, não tivemos uma casa para dividir a partilha, não tivemos um cachorro para se procurar novamente. Não projetamos pretextos para a reconciliação, como esquecemos disso? Nosso amor não tem endereço como um circo, montado e desmontado na estrada.

Como dói o que não começou a doer. Não preciso de férias, preciso de outra vida.

GORDO

O abraço do gordo é o mais suave. O mais cuidadoso. Não tem violência. Não há obrigação.
Ele não será gentil por formalidade. Oferece o deleite de estar próximo.

O gordo é o que conhece a arte do enlace.

Espera-se que ele quebre as costelas, venha com fúria, não dose os braços. Que nada.

O gordo faz uma concha cuidadosa com os ombros, cria uma marquise ao peito, guia a caravana dos cabelos.

Ele capricha na cesura, põe fronha no avanço.

O gordo é que tem a ciência de abraçar. Mais ninguém. Abraço de echarpe, elegante, colcha arrastada pela casa. Não atravessa, não atravanca, escora o corpo o tempo necessário para sentirmos a temperatura de sua pele e se despede com um aceno dos olhos.

Não tem a covardia da delação no ouvido, muito menos a agressividade do arrasto com os pés.

O gordo é uma promessa de conforto, não fere a solidão do dorso. O desenho de ostra.

Quando chora, soluça. Quando ri, gargalha. Não existe meia porção de ternura. Ele se dedica a abraçar como um confidente.

Não compra abraços em lojas, são feitos sob medida, encomendados no alfaiate. Com as agulhas marcando a altura do encontro.

Já o magro é traumatizado pela sua fraqueza. Aperta forte para convencer que tem fibra. Martela com os punhos. Pendura quadros em nossas costas. Acorda inimizades. Invade.

O magro sempre pensa que não incomoda com o peso e é um dinossauro no trato. Subestima a corda. Quebra a água que havia dentro do jarro.

Admiro sinceramente os gordos. A obesidade viva, não a mórbida. A obesidade que não se censura, que não se maltrata, que se antecipa de bordas e meneios.

O gordo que não se humilha com regimes, dietas e campanhas de mumificação; gordo forte, justo, vocacionado a desafiar a infância. Que dormirá numa poltrona de avião espiando os corredores. Que sentará como se estivesse se levantando. Com a mesma reverência ao céu.

Gordo que não se esconde. Gordo assumido é bondade de vento.

Não me deparei ainda com um gordo mal-humorado. Gordo ranzinza. Não sonega prazeres. Tem as melhores piadas, gracejo acústico, marulhar de calçadão.

Gordo usa microfone de lapela desde o berço. Um alto-falante no porta-malas do carro.

É acordar com feira na cozinha, é dormir com ópera na sala.

Meu pai já teve 110 quilos. Eu amava sua aproximação lenta, a barriga chegando primeiro, o adiantado da cabeça ganhando o turfe, o tufo de seus cílios coçando o rosto. O pai me cheirava antes de abraçar. Fungava com a paz de ilha.

Acomodava-me entre suas lembranças antigas e recentes.

Ele me carregava no colo, posso garantir, sem me levantar do chão, apenas espichando sua respiração ao pescoço.

Meu pai e seus botões abertos da camisa. Descosturava as palavras.

CASAS PENADAS

Estava ajudando uma senhora perdida no bairro Petrópolis. Talvez ela tenha me confundido com um táxi, mas quem tem um carro amarelo escandaloso será sempre confundido com um táxi. Calmamente, abri a janela do passageiro e desenvolvi um mapa falado:

— É fácil. Siga pela Protásio Alves e entre à direita na esquina da Farmácia Petrópolis; é a rua Santos Neto que procura.

Sorri com o ar manhoso de quem cumpriu uma ação eficiente logo cedo. E mergulhei no novelo dos lábios para guardar a língua. Dar uma informação correta de repente é ser condecorado como cidadão porto-alegrense.

Dois dias depois, reencontro a mulher caminhando. Não a reconheci, só a conhecia de busto, o que dava para enxergar do veículo. Ela estava inteira, monstruosamente pedestre, um susto de pernas, e não parecia muito amigável. Latiu uma, duas vezes.

— Obrigada, obrigada pela informação.

Eu radiografei uma aspereza no tom, que me confundia. Seu agradecimento tinha uma irritação de operador de tráfego aéreo. As palavras repercutiam o contrário delas.

— Obrigada, obrigada mesmo, você é muito educado.
— Achou o lugar, que bom.
— Não achei, é óbvio — disse, segurando meu braço por trás.
— Como assim?
— Não havia Farmácia Petrópolis num raio de cinco quilômetros.
— Não? É na esquina, uma casa laranja.

No instante em que respondi, eu me lembrei que a Farmácia Petrópolis não era Farmácia Petrópolis há uma década, mas todos que frequentavam o lugar ainda a chamam de Farmácia Petrópolis.

— Ai desculpa, mudou de nome. É uma ferragem agora, né?

Ela se convenceu de que enganei de propósito e bufou hálitos noturnos em plena tarde ensolarada.

Desisti de explicar e perdi o voto para Conselheiro Tutelar.

Avancei no raciocínio e reparei que existem casas penadas. Não são residências mal-assombradas, habitadas por fantasmas, barulhos esquisitos e correntes arrastadas. Mas casas que não conseguiram superar a fama de um comércio anterior. Não mudaram de encarnação. Trocaram o letreiro, o nome, o negócio e a cor da parede, e ainda são leais ao Plano Diretor do século passado. São construções ressentidas, inadaptáveis, pontos miasmáticos de referência, permanecendo legíveis aos habitantes mais antigos. Troçam dos donos, zombam dos futuros clientes, confundem os mais novos. A maioria não entende que a alma de uma casa não está à venda. Compra-se o terreno, não o tijolo abrasado pelos costumes.

No Centro, já cometi a imprudência de orientar outro extraviado a encontrar a esquina da loja Mesbla, na Dr. Flores. A Mesbla já não existe há um largo tempo. Ele deve estar caçando o prédio até hoje, ou me farejando para acertar o carnê da bisavó.

Uma cidade não morre, é enterrada viva. Quer uma informação? Antes me retire dos escombros.

RUA JARAGUÁ

Minha vida não saiu como planejei, mas ainda é a minha vida.
Procuro experimentar aquela trégua em que não penso em nada e me fixo na bobeira de admirar quem amo. Uma saudade antecipada, uma saudade para confessar na presença do saudoso. Toda saudade chega antes de acontecer. Toda saudade é lida antes de escrita.

A bobeira de estar ali e sentir que não poderia estar em outro lugar. Como uma mãe deve sentir quando seu filho volta de uma longa viagem e senta para ouvir as façanhas e as peripécias dele e não escuta palavra alguma, tamanha a força dedicada ao olhar. Tamanho o zelo para guardar a alegria num local protegido. Como um homem que descobre que está apaixonado ao acaso, quando sua companhia acomoda as verduras na gaveta da geladeira. Escorado no armário, ele cancela a fala para desfrutar de uma longa ausência de raciocínio. E ela sonda um precoce distanciamento, recrimina seus pensamentos fugidios, a distração eletrificada, e nem percebe que ele finalmente decidiu ficar.

Ao pensarmos no que pensamos, interrompemos a ausência perfeita e começamos a nos boicotar. Quando pensamos o pensamento, deixamos de nos doar para aparecer.

Questionava minha namorada porque ela fazia o mesmo caminho sempre. De volta ou de ida ao trabalho. Nos pulos ao mercado ou ao salão.

Ela tinha que passar pela frente de seu apartamento. Não por medo de assalto ou para conferir se tudo andava bem, mas por uma ternura familiar e incontrolável pela travessa apertada e irregular de paralelepípedos.

Não duvido que caroneiros a confundam com uma obsessiva, uma maníaca, lamentem seu transtorno e a fixação doentia da rotina.

Hoje eu me deslumbro com o hábito, abobado, flutuando pela janela entreaberta de minha boca, no vaivém sereno do sopro quente.

Aquela rua atravessa seu corpo. É a sua avenida secreta, sua Perimetral, sua Linha Vermelha. Não será improvável que conheça quantos hidrantes tem em sua extensão, quantos telefones públicos, quantos cachorros, quantas árvores. Capaz de acertar direto, por intuição, não que tenha enumerado. Dizer sem pensar, como a intuição consegue.

Começo a crer que sua casa é um sinal de nascença do bairro. Assume as rotas mais longas para desacelerar diante de seu prédio branco, de varandas amadeiradas. Não reclama que gasta gasolina, não reclama que perde tempo. Conhece a maioria das alternativas e escolhe uma única, eternamente igual. Não se interessa por malha viária que não recobre a sensação de voltar ao lar. É uma trilha justa, tal vestido predileto, com caimento feito pelo uso, com a medida acomodada pela costureira de sua nudez.

Ao me levar, compreendo que encontrará um jeito de percorrer a rua Jaraguá. Os anéis, os cruzamentos, as ladeiras desembocam naquele braço branco de calçada.

Ela criou sua própria cidade.

DOIS MOMENTOS CRUCIAIS

Em toda briga de casal, há um momento-gravador. É naquela hora derradeira, de boca contraída e olhos arregalados, de ombros curvos e tosse seca.

O balconista reconhece facilmente os desesperados. O par esquece que entrou num restaurante com os corredores lotados e decide rasgar as roupas em público para não lavar em casa. Vive levantando os braços de modo involuntário. O garçom, coitado, fica em dúvida se está sendo chamado, ameaça o avanço da bandeja e recua.

Talvez se alguém surgisse com um pente, tudo iria se tranquilizar. Ninguém consegue brigar se penteando.

O momento-gravador é logo após a segunda série de gritos abafados e da primeira crise de choro, período marcado pela falta de novidade e de assunto para continuar brigando. Não surgirá um dado inédito, voltam-se ao início do desentendimento, as argumentações esmorecem; toda denúncia desbota, repisada. O comércio fechou e o coração é uma cadeira em cima da mesa.

Os dois estão exaustos e não conseguem fazer as pazes nem parar de discutir. Uma pena que a humildade só venha depois do sexo, nunca antes.

Já que nenhum venceu, ficam aguardando o erro do outro. Possessos, possessivos com as palavras.

Ela dirá, de repente: "Você ouviu o que acabou de falar?"

E repete a sentença, claro que distorcendo. Não há gravador fiel nas discussões amorosas. É um gravador com ilha de edição.

É óbvio que ele ouviu o que ele mesmo falou, mas com a mudança das frases passa a acreditar em sua surdez. Por um breve instante, deixa de responder para fingir cotonete nos ouvidos.

Coincidência ou não, sempre que alguém nos repete parece que a nossa autoria é um plágio. Plagiamos — quem sabe — um ex de nossa namorada.

Depois do momento-gravador, a separação se aproxima com o momento-filmadora.

O ideal é que os amantes não tivessem alcançado essa etapa fúnebre. Um deles tenta segurar o braço para acalmar e arranha sem querer. Não é um rasgo na pele, é uma comichão, imperceptível a não ser pelo gemido. A saída abrupta dos braços agravou o aperto.

Tanto que não recomendo tocar num casal em atrito; os cotovelos são facas. Qualquer abraço será visto como um empurrão. Os bem-intencionados devem permanecer solteiros.

Agora temos uma vítima imaginária, ainda assim vítima, que dirá, de repente: "Você viu o que fez?"

O vocabulário é extinto; o que era um desacordo vira agressão. Um caso de constrangimento corporal. Cada um vai para seu lado desvendar o motivo da guerra, certos de sua versão mais convincente.

Não descobrirão ao longo da madrugada. Na briga não se descobre coisa alguma, é pura diversão da dor.

CACHOS FAMILIARES

Para o amigo Flávio

Manuela tinha 82 anos. Morava com suas quatro filhas no interior paulista.

Participava de grupos de dança, jogava cartas com as amigas, passeava diariamente com sua bolsa preta a tiracolo. Circulava o batom nos lábios finos para flertar com as sombras dos muros brancos. Já estava viúva, mas não cansada de si.

Apertava os olhos quando faceira, lançando o pescoço para trás como Ava Gardner. Seu rosto era uma correspondência aberta a vapor de chaleira. Delicado, confidente.

Mas ela morreu por causa das bananas. Morreu de bananas. É a morte-banana que pode atingir todos os octogenários.

Não é para rir. Sua morte não foi patética. Esclareço com pesar.

Conhecida no bairro pela preservação do salto em qualquer caminhada, vasculhava a feira em ruazinha de sua cidade, às terças. Cumprimentava os feirantes com o aceno leve de cabeça, como se estivesse começando uma dança de salão.

Deslizava pela calçada, arrebatada talvez pelo sol esverdeado ou pelo cheiro de manjericão se abrindo úmido nas mesas; é mesmo sutil a felicidade, raro diagnosticar sua origem, emerge com fúria de um som ou um cheiro ou uma lembrança. A felicidade é frágil, nem pensamos muito nela para não perdê-la.

Naquela manhã, ela não comprou um cacho de bananas como de costume. Comprou três dúzias. Encheu sua sacola de bananas. Voluptuosas, amarelas, listradas. Exagerou, mas pensou que as frutas amadureceriam em semanas diferentes, que faria uma torta, um doce.

Não previu que estava se matando.

Ao chegar em casa, suas meninas um tanto mulheres se prontificaram a ajudá-la com a sacola. Correram ao portão.

— Mãe, que pesado, o que trouxe?

— O que é isso, mãe?

— Mãe, para que 36 bananas?

— Isso não é normal, mãe.

— Mãe, você caducou? Dá para montar uma banca.

Ela mexia os ombros, envergonhada com o julgamento. O inocente tem ares culpados. O inocente não ensaia, é pego desprevenido. O inocente tem aparência muito mais criminosa do que um culpado.

As filhas se reuniram na janta e decidiram que a atitude de Manuela extrapolara a normalidade, um disparate, infelizmente estava ficando gagá.

E duvidavam de cada evocação dali por diante, de cada frase de Manuela, da memória de Manuela, da imaginação de Manuela. Toda conversa isolada é a de um louco.

Questionaram seu domínio, sua independência, confirmaram fatos e datas para confundi-la.

Um velho não pode cometer exuberâncias, saciar desejos de grávida, vontades altissonantes e esquisitas. Só o jovem. Se o velho supera a medida, já é visto como doente. Esclerosado.

E não mais permitiram Manuela sair, brincar com as amigas, suspenderam suas atividades pela suspeita de doideira. O tribunal familiar é o único que ainda usa o confinamento.

Ao proteger, sufoca. Ao cuidar, enfraquece.

Os prisioneiros do amor nunca serão soltos.

Ela não viu sentido em revidar, entregou-se lentamente ao sofá. Vidrada na televisão. No aquário de seu vestido floreado. Morreu em seguida de amargura.

Morreu porque comprou três dúzias de bananas. E tinha 82 anos.

PERDÃO SENSUAL

Matava o tempo antes de pegar a estrada, com um copo de café gemendo em minha boca.

No canto da cafeteria, uma moça escrevia no seu computador. Buscava um pensamento fora e se vidrava novamente na tela, obcecada a encontrar a frase melódica antes de mim.

Quando ela foi se espreguiçar, eu vi. Vi o luzeiro de sua pele por uma fechadura minúscula.

Sua camiseta básica estava rasgada debaixo dos braços. Um pequeno furo. Tolo e miserável corte.

Pela pilha de casacos e blusões na cadeira ao lado, ela nem deveria ter notado. O inverno tem a mania de sonegar a penúria do pano. Somos um excesso de andares de golas de manhãzinha e um térreo na hora do almoço. Na rua, as pessoas carregam seus sobretudos como engradados de cervejas.

Ela não me viu. Mas eu insisti em olhar. Queria que ela se espreguiçasse de novo.

Quem sabe era o primeiro rasgo de seu dia. Um rasgo involuntário. Sem campainha, sem som de tecido, sem aquele anzol zunindo na água.

Quase me levantei para avisá-la; eu me contive. Ao confirmar o sinal com os dedos, ela deixaria de usar a camisa. Ou guardaria em uma cesta de vime até encontrar uma folga para costurar.

Não queria que fizesse isso. Não agora.

Ela poderia sentir vergonha da mínima gastura na blusa. Gastura da vida.

Talvez fizesse um comício, um protesto, iria correr ao banheiro.

Pediria desculpa a todos, a si, aceitaria que é um desleixo imperdoável. Um descuido fatal de sua beleza.

Mas eu fiquei apaixonado pelo bocejo do fio. Tomado de uma compaixão sensual. Excitado com a ternura. Não há nada mais excitante do que a ternura. A ternura incontrolável do primeiro amor. Do último amor. Beijar os olhos e morder levemente os cílios. Puxar os fios dos olhos.

Era uma fresta de sua nudez. Uma mulher se produz tanto para sair de casa que aquilo significava um descanso, um domingo repentino, que a tornava ainda mais bonita. Mais humana, mais falível, mais acessível. Transportada acidentalmente para seu quarto.

Aquele corte desatento criava intimidade. Retribuía infâncias.

Sua roupa sorria desajeitada para mim.

MANIAS DE UMA LOJA DE SAPATOS

Entro numa loja, escolho dois pares depois de investigação minuciosa pela vitrine, estantes e pelos pés dos frequentadores. Sim, analiso os pés de quem está na loja para escolher também. Se alguém usa um sapato superior àquele que vou comprar, já não levo. Se alguém calça um sapato igual, finjo que não quero mais. Consumo a mentira de que sou único.

Tomei um tempo imenso sorteando quais combinavam com a minha personalidade. Se bem que sou capaz de mudar de personalidade para combinar com um par de sapatos. Escolher um de que gosto mesmo é uma arte: fivela, sola, couro, salto, cor, textura. São mais pré-requisitos do que financiamento de imóvel pela Caixa Econômica Federal.

Eu avistei dois vizinhos de minhas taras. Uma bota preta para fingir que sou durão e um sapato cinza para combinar com colete astronauta. Há sempre uma peça de roupa pedindo par para dançar no seu armário. A vendedora avisou que iria buscar meu número. Sentei no banquinho com olhar de meteoro caindo. O rosto é céu inclinado quando esperamos comprar alguma coisa. É da infância saber se teremos dinheiro ou não, se poderemos ou não levar aquilo que temos empatia.

Ela veio com seis caixas. Equilibrando-se nos seios A mecha de seu cabelo ruivo apontava que era ela. Uma mecha surrada de quem pintou o cabelo mais vezes do que o necessário ou se separou mais vezes do que amou.

Por que seis caixas? Eu pedi para experimentar dois! Sempre que uma vendedora chega com mais caixas do que foi pedido, com certeza ela não trará os sapatos pretendidos.

Pousa com outros modelos que não têm parentesco com o desejado.

Abriu uma, abriu duas, abriu três, abriu quatro, cinco, seis tampas. Como se fosse meu sapato, e não era. Das cores mais extravagantes, dos feitios mais opostos, das formas menos próximas. Mas tratando como se fosse o ideal. Isso irritou minhas sobrancelhas. Tudo que pedi acabou por ser esquecido.

— Cadê meus sapatos?

— É que não tem mais seu número.

— Então, me diga que não tem meu número e não me deixe esperando...

— É que poderia gostar de outros modelos.

— A senhora não pensou que eu OLHEI outros modelos antes de escolher aqueles? Fiquei vinte minutos decidindo...

— Ai, desculpa. É que você iria embora...

— Iria embora sem ficar brabo, agora vou embora completamente fulo.

— Aprendi assim: tem que prender o cliente porque senão ele pensa que não damos atenção e estamos sem vontade.

— Como?

— Se eu viesse de mãos vazias, não estaria passando a imagem de que me esforcei para vender.

— Eu não passei imagem de que compraria somente os escolhidos?

— Sim, é que tinha que enrolar para ganhar tempo e pensar como posso agradá-lo.

Neste momento, compreendi que somos iguais a ela e aos costumes do balcão, não adiantava engolir saliva no provador se a vida cuspiria de novo na rua, quando viesse a primeira tosse.

Carentes, preferimos prender quem não amamos. Ficamos com uma companhia apesar de não amar, para evitarmos a cobrança pelos pés descalços ou porque estamos sozinhos. Esperando o par perfeito enquanto usamos o que encontramos. O que veio na frente. O que tinha no estoque.

Grande parte dos casais é ímpar. Vistosamente formando pares trocados, solteiros, improvisados.

Quando compramos o que não gostamos, concluímos que "dá pro gasto". É uma expressão triste, inconsolável. O equivalente a lamentar que não tinha o que procurávamos. Gastamos o que não é nosso. Gastamos as pernas para justificarmos que permanecemos em movimento, tentando, ocupados.

Os sapatos são nossas estradas. Não permitem desvios e atalhos, trocas e substituições.

O amor começa pelos pés. Obsessivo.

Não levei nada daquela loja.

O ESPIRRO E A TROCA QUASE FATAL DE NOME

A pós separação e amando de novo, o homem vai errar o nome da namorada. Vai trocar. Lançará o nome da ex em vão. Não tem conserto ou alergia que justifique.

Um erro legível, sem enganação. Um erro maiúsculo.

Por mais que se decore, por mais que se empregue bonder, cola de madeira, juras eternas, a praga baixará de repente. E choverá canivetes, coaxos e desaforos sobre a cabeceira.

Será num pesadelo, num cochilo ou num pedido inesperado. É o reflexo de um espelho que já se quebrou. Não há como fugir ou fazer um curso de leitura dinâmica.

Ainda mais se o relacionamento anterior ultrapassou a cota dos cinco anos, tempo em que o nome hiberna em definitivo.

É coisa de homem. Não conheci nenhuma mulher que tenha cometido o deslize.

Exclusividade dos varões. Defeito de fabricação dos canais seminíferos. O homem guarda um único lugar feminino em seu DNA psicológico, que foi ocupado pela mãe, depois pela irmã e, por fim, por sua namorada. Um só lugar. Ele não puxa novas cadeiras. Não cria novos assentos. Uma companhia substitui exatamente a outra. Que nem quarto de hotel. Tem que esperar vagar para subir.

A mulher não sofrerá esses lapsos. Sua tecnologia amorosa é mais refinada. Espaçosa, deixa vários assentos que serão ocupados para cada homem que conviveu. Na ruptura, o local não será preenchido. Nunca mais será preenchido. Esquece ali o cadáver sentado, e deu. Parte para uma diferente perspectiva e personalidade.

A memória masculina funciona por suplências e substituições. Refere-se a uma sobreposição violenta e progressiva de traços. Uma mutação genética. Não recomendo a ninguém acompanhar. É muito doloroso, incluindo distorções imaginárias de queixo e inchaço dos seios.

Se o nome da ex é Cinara, grosseiro emendar e corrigir com "A cinta, onde está cinta?", e procurar encenar aflição usando uma calça de abrigo. É de sentir muito.

A saída talvez seja se envolver com mulheres de nome igual. E nomes comuns, como Cláudia, para facilitar a caça sexual.

O amigo Raimundo, de Caxias do Sul, optou por não disfarçar a pronúncia. Assumiu o tropeço durante o café da manhã. Foi cabra másculo. Pediu a manteiga e veio o nome errado.

— Olha, é hábito. Não significa mais nada. Quer acreditar, acredita...

É óbvio que ela não acreditou e recolheu seus pertences.

O desespero justifica a intransigência de Moisés, peladeiro da Cidade Baixa, de Porto Alegre.

Divorciado, em lua de mel com namorada, troca o nome no meio da transa (delimito "meio da transa", mas nunca sei quando é mesmo a metade).

O nome dela era Isabel.

— Marina, ai como gosto disso.

— Marina?

O problema é que ele colocou o nome dela junto a um elogio erótico. E, ainda por cima (ou por baixo), ele estava de olhos fechados.

Não teria como escapar da crise e do julgamento.

Mas ficou tão brabo, tão fulo, tão irritado com o mundo, que não permitiu regressões hipnóticas:

— A partir de hoje, você é Marina e fim de papo.

MANHA

Homem tem atitudes suspeitas e superstições incontroláveis. Gosta de brigar por mais que desminta e alerte que não suporta discussões. A provocação é uma prova de intimidade. A gente agride apenas quem é capaz de nos perdoar.

Ao contrário do que as mulheres insistem em comentar, o homem não é linear — tentamos preservar essa reputação para não nos complicar. Não fará testes para conferir se é amado ou se é gostoso ou se transa bem ou se vem sendo correspondido, justo porque não aceita o fracasso. Colaria as respostas invertendo a página.

Ele não pergunta toda hora se ela realmente o ama, o que não significa que não é inseguro. Não cria beiço durante o desaforo por pura falta de prática, logo desliza na careta.

Os testes masculinos são de outra ordem. Daquilo que posso chamar de terrorismo psicológico. Quando sua namorada se arruma para sair, por exemplo.

O homem fica enervando, apressando, controlando o tempo, segurando a maçaneta, não é?

A mulher demora uma hora para escolher a roupa após experimentar todas as possíveis combinações da estação outono-inverno. Coloca batom, blush, rímel, seca os cabelos, arruma as dobras do tecido, dança abraçada ao armário, deita, senta, retoma um casaco, troca a saia. E finge não ouvir seu namorado recordando do atraso.

E o homem não cansa de avisar do compromisso em poses ansiosas. De pé na sala, sentado em meia cadeira, debruçado na mesa. Teimando. Arfando.

O exame não é esse jogo previsível de cobrança. Surge na saída, num golpe fatal da paciência.

No momento em que ela confirma que está pronta, ele — que até agora a empurrava para a rua — começará a empurrar de volta ao quarto com estranhas carícias. Com beijos mais longos. Pegará a cintura dela com ardor e firmeza. Fechará a porta com os pés. Ela não compreenderá a mudança de atitude. Poderá lamentar:

— Não estamos atrasados?

— Sim, bem atrasados — ele responderá com uma calma histérica.

A epopeia da produção será desmanchada em segundos. Com a violência implacável dos lábios e a curiosidade indiscreta das mãos.

Se ela deixar, o homem vai concluir que é o mais amado, o mais gostoso, o mais correspondido, e somará os pontos a se. favor de todas as revistas femininas nas bancas daquela semana

Não que deseje transar naquele instante, de repente nem tem vontade. Ele somente quer testar sua mulher. Homem é ambicioso no amor, diferente do que dizem por aí. Chega a ser ganancioso.

Quer que sua mulher se arrume para ele, e se desarrume e se arrume outra vez. Para cobrar novamente o atraso.

UNIFORME ESCOLAR PELO RESTO DA VIDA

Minha memória sempre falhou. Agora só tenho certeza de que ela não funciona.

Algo que me incomoda profundamente é repetir as roupas com as mesmas pessoas. E costuma acontecer com frequência. Com mais assiduidade do que gostaria.

Não passaria pelo vexame — que talvez unicamente eu perceba — se eu tivesse roupas descartáveis, como pratos e garfos de aniversário. O que não teria a menor graça. Bastaria comprar as camisetas de futebol do camelô. Numa lavada, elas desbotam e mudam de time. Já vi o verdão do Palmeiras virar o amarelo do Brasiliense.

Espaço o uso de camisas por uma semana — e trato de repetir exatamente no dia em que a vesti pela última vez. Exemplo: segunda, na aula de rock. Fui reparar que estava com a camisa da última aula e da penúltima aula e da antepenúltima aula. Cinza brilhante. Os alunos devem pensar que meu guarda-roupa está deitado em uma mala. Talvez até numa mochila diante da escassez de alternativas.

As mulheres escondem o jogo com os acessórios (cintos, sobreposições, sapatos, colares). O homem é cru e se entrega. Homem feio, então, é mais cru ainda, tem a roupa como o acesso de alteridade. É seu elo perdido. A derradeira distração de si.

Minha memória funciona por empurrões, no desespero. Eu me dou conta depois que deixei a casa e não vou retornar.

Há pilhas e pilhas de opções no armário, mas vou escolher sempre as preferidas do momento, que compõem uma semana inteira. Tomo aquelas peças que comprei recentemente e que ainda guardam a sensação de novo.

Acho que o uniforme escolar me influenciou pelo resto da vida. Vou entendendo que tenho a minha roupa de quarta-feira. Como um pregador de Bíblia. Quem me enxergar na quarta-feira poderá supor que não troco de camisa e calça e tênis. Vai concluir que sou monótono. Não me envergonho de ser monótono, fico ruborizado por não conseguir disfarçar. Espero que não pense que sou sujo.

SESTA

Para o amigo Marcos Terras

Saí para comprar Diazepan em Concórdia (SC), a insônia da poltrona do ônibus e do avião ameaçava a tranquilidade da cama. A igreja badalou meio-dia. Cumpri pernadas por lombas e travessas, e não enxergava uma loja aberta. Um silêncio de portas que destoava do alarido da fome. Luto? Protesto?

Que nada, sesta! Até 13h30, o comércio fecha. Pontualmente. Sem recurso judicial. Não adianta parar na frente da vitrine e fazer serenata. Um minuto a mais das 12 horas, e as cortinas de ferro são desenroladas. Poderia esmolar, inventar uma história inacreditável de pressa e urgência, argumentar que minhas crianças passam necessidade; esqueça, não serei convidado ao interior do estabelecimento. A sesta na cidade é inegociável. Os funcionários e gerentes vão almoçar em casa e dormir 30 minutos. O cochilo é obrigatório para manter a ordem e a paz pública. Um sinal de trânsito filial obedecido desde a autoescola, indiscutível como respeitar a faixa do pedestre.

É o que perseguia e não desconfiava: a sesta na rede, a sesta no sofá, a sesta no meio do expediente para não me sentir acabado de noite, para ter mais paciência com a família, para não ofender ninguém pelo estresse acumulado. Atenderia ao telefone com calma e puxaria conversa com a televisão. Quantas brigas seriam evitadas?

O pequeno pedirá para brincar e aceitarei, o pequeno pedirá que leia um livro e improvisarei uma bandeja de fábulas com o travesseiro. Não serei ofegante com as estrelas. Dormirei na escada caracol do corpo da namorada, sem me indispor com os degraus das horas.

Eu transbordaria gentilezas e mimos, não esqueceria o dia do aniversário dos amigos, deixaria o sábado e o domingo para não descansar e aprender marcenaria, não sofreria mais com o pouco espaço aos livros, não dependeria de favores da madeira, eu mesmo armaria estantes para o resto da vida.

Meia hora salva o casamento, mata a saudade do lar, abrevia a semana, diminui o tempo de serviço, recupera o humor.

Meia hora, e temos duas manhãs num único dia, o café da tarde recupera o sentido, a preocupação enfrentará resistências, não colocaremos a mãe ou o pai num asilo, não demitiremos amigos por justa causa, maridos e esposas dispensarão os amantes, os motéis ficarão mais baratos, os gramados estarão cortados, os filhos farão a lição antes da cobrança.

A sesta é sindical. É o remédio que procurava. Para não mais me vendar com a tarja preta.

ENTRE CAVALOS E CACHORROS

Nunca abandonaremos o sexo rural.
    Não vou confessar que morro de tesão pelo corpo cansado da namorada, com a fragrância exasperada de um dia inteiro, quando o perfume importado já evaporou e resta a franqueza da carne sobre a carne. Avisarei que a desejo de banho tomado. Se me perguntar, digo isso, o certo. Mas faço o errado com volúpia. Amo o dorso feminino suado, muito suado, não há sabonete e xampu que me devolva a mesma gula. Posso lamber as axilas, as curvas, lamber todo o seu trabalho de oito horas sem intervalo. E repetir.

O discurso é pelo luxo e conforto: cama redonda, espelho no teto, banco estofado para o encaixe, algemas abençoadas, banheira de hidromassagem.

Só que a imaginação ainda está no celeiro, com pilha de feno, o bafo da neblina e a pressa da ardência. A imaginação procura pelo chão, pelo incômodo, pelos pregos enferrujados do entardecer. Os animais não foram domesticados no instinto. Nem devem.

Após as juras, quando surge o primeiro desaforo amoroso, o primeiro insulto, adeus boas maneiras. Não adianta controlar a fantasia. Homens caprichosos e refinados se transformam em gigolôs, dondocas comportadas e puras se enxergam como putas. Regressamos às fazendas da República Velha, ao mato remoto, às plantações do inconsciente.

O prazer não assina contrato, nem se interessa em ler e escrever. O que vem à tona é a pulsão, o revezamento de domínio e submissão.

É melancólico um amor que não esfolou os joelhos.

Durante a transa, o que menos pretendo é ser homem, essa alma tão volúvel e pouco decidida, mas um cavalo.

Enlouqueço quando chamado de cavalo. É uma provocação de corrida, do laço, do nó acintoso. As esporas surgem nos pés. Arrebento-me nos estribos. Afora que me projeto muito mais volumoso do que sou. Se ela é égua, o gemido é um bloco indivisível de som, um relincho a acordar os rincões e os potreiros ancestrais.

Talvez seja uma fixação dos gaúchos pelo passado estancieiro. Uma ligação primordial com a montaria. Não escapam dos latifúndios. Dos campos. Da exuberância silvestre. Do sotaque interiorano e da vontade de se largar pela estrada.

Já os cariocas, entre quatro paredes, preferem cadela, cachorro e cachorra. Tanto que as letras de funk esbanjam latidos: "Cachorra, Cachorra,/ Eu quero essa cachorra./ Cachorra, Cachorra."

São esportistas dos pátios, das varandas, dos parques, das praças e praias. Montam de uma forma mais familiar e menos selvagem. Firmam sua filiação a um ambiente doméstico e urbano.

A rédea é substituída pela coleira. Um delírio erótico com menos coice, menos dor de cotovelo, menos invasões culturais do MST. Em compensação, mais bala perdida, mais arrastão, mais queda livre.

Receio pela geração de meus netos, afastada perigosamente do convívio com os bichos. Não duvido de que não se contente em fantasiar com hamster. E o sexo entrará definitivamente na gaiola.

PORTA-MALAS

Mexia na bolsa da mãe para caçar trocados. A carteira magra do pai não fazia concorrência.

Sua bolsa formava um quintal: chicletes, balas, carnês, chaves, óculos, carteira, terço, escova, produtos de beleza. Enfrentava duas camadas, subia dois andares com os dedos. Com os produtos vencidos ao fundo e os mais usados por cima. As mãos vasculhavam odores e formas, empurradas pela curiosidade dos olhos. Às vezes, uma gosma não me inspirava a avançar.

Minha mãe trocava de bolsa numa piscadela. Despejava simplesmente o conteúdo de uma na outra. No escuro. Nem separava os pertences. Cambiava os objetos numa impecável transformação terrorista. Restavam moedas e notas bastardas no fecho, o que garantia a festa de doces no armazém do Celso.

O esconderijo não se esgotava, um mistério para a objetividade masculina.

As mulheres sempre estavam preparadas para o divórcio. Não derrubavam armários para sair de casa, tampouco providenciavam malas. Com apenas uma bolsa, já reinventavam suas trajetórias. Era assim na década de 80.

Hoje, uma bolsa não é mais suficiente. A mulher descobriu que não tem como guardar tudo que deseja de repente em suas abas confortáveis. Não compreendo se as necessidades cresceram ou elas ficaram mais gulosas. O que permanece é a vontade de planejar o imprevisto.

A bolsa moderna agora é o porta-malas do carro. Não é para rir, verdade, juro, várias amigas converteram seus veículos num camarim. Estão em incansável turnê. Num único dia, preparadas para serra e praia, festas e reuniões escolares.

Viraram o automóvel pelo avesso. Colocam o lixo no banco ao lado. Ao receber uma carona, finja que os pés não reconhecem um perigoso terreno baldio. Latas de refrigerante, sacos de bala, folhetos de vendas, tíquetes de estacionamento amontoados como um segundo tapete. Forro luxuoso de mendigo. Não ouse catar, que elas vão ficar ofendidas.

No porta-malas, carregam mais do que um pneu reserva, o macaco e o triângulo. Já testemunhei vestido social, sapatos, biquíni, tênis de corrida, aparelho de chapinha, ferro de passar, liquidificador, com a justificativa de que podem precisar a qualquer momento. Criam as urgências, adaptadas aos sequestros amorosos e mudança de planos. Como partem cedo da residência ao trabalho, levam ao pé da letra o sentido de bagageiro. São camelôs das próprias vidas.

Levei um susto quando a colega Vivian avisou que tinha uma torradeira lá atrás.

— Não pode?

— Pode, sim, caberia até o ex-marido.

Por precaução, não fui conferir.

DEIXE MINHA CULPA EM PAZ

Todos — aviso: todos! — pedem que me livre da culpa. Assuma meus atos. Não transfira a responsabilidade.
Todos — aviso: todos! — são desencanados, leves, budistas. Ou tentam parecer que se entendem.

A culpa estragaria, a culpa imobilizaria, a culpa nos induziria a enganos. O problema é sempre da culpa.

Não desperdiço, não jogo fora a minha culpa. Minha culpa é pai e mãe, é Espírito Santo. Família é boa para gerar traumas, aproveitemos, traumas são as únicas lembranças que não serão esquecidas.

A culpa nos torna atentos. O homem só é romântico com a culpa. As flores criminosas crescem à vontade na ponta de seus dedos. Homem culpado é humilde e amoroso como um chapéu na cadeira, um avental no gancho. O sexo é muito mais intenso e voraz com a culpa. Trepa-se como se fosse a última vez sempre. Os pais se desculpam pela culpa. Desprendem-se da arrogância dos castigos pela audição dos pés. Os bichos aprendem seus hábitos pela culpa. Trocam o cativeiro pela obediência.

Culpa, ó palavra bonita, gostosa de se repetir, próxima do perdão.

Culpa é voltar para o lugar em que nascemos. É se arrepender antes de fazer e continuar fazendo. Uma teimosia que nos leva à perfeição dos erros. Um erro perfeito é virtude. A culpa, não consigo parar de repeti-la, não nos resolve, é um tratamento sincero. Não nos salva, é uma verdade médica. Percebemos que sempre nos enganaremos. Mas é se enganar com gosto, com vontade.

Quem procura se curar é careta. A culpa não tem cura, é libertina, libertadora, retira adrenalina de todo pecado. Ou alguém nunca se sentiu culpado por nascer? Culpado por amar? Culpado por ser sincero? Culpado pelo talento ou pela falta de talento?

Não pretendo pagar a conta sozinho. Sem culpa, eu me isolo, eu me vejo independente e pronto. Consumido. Não há vela que não se derreta por todos os lados. Culpa é minha crisma, minha primeira comunhão, a alegria de saber que Deus está me enxergando.

Culpa me limita, me põe a recuar na raiva, a desistir da arma e da faca, me violenta antes que cometa violências. Ninguém mata o outro com culpa. A culpa é civilizada. Que tenha culpa antes do que depois.

Sem culpa, não existe vida eterna. É vassoura e cinzas. Uma pazinha e acúmulo de asas transparentes na horta.

Sem culpa, não existe literatura, sequer leitor angustiado pelo final da história.

Aproximem-se, fiéis, da culpa. Para comprar um apartamento, dependo de fiador. A culpa é o fiador da memória. A conversa-fiada do medo. Não bancarei minhas falhas, não sumirei com a nota fiscal da taverna. Se não gozar, coloque a culpa nela. É melhor do que arrebentar de estresse. Se não for feliz, coloque a culpa nele. É melhor do que acumular pedras nos rins. Não tome as culpas para si, não seja egoísta. Doe sua culpa para doer menos. A culpa é contagiosa.

Não procure manter a pose de esclarecido, centrado, tranquilo. A teoria não prevê um cavalo atravessando um rio. Somos um cavalo nadando.

COM ALGO NOS DENTES

Sujeira nos dentes me põe em alerta.
Reunião-almoço é um momento em que ninguém deixa uma boa impressão. Esqueça. Já estive fechando um negócio com uma casquinha de feijão nos dentes. Não me avisaram. Não havia como escová-los, a comida cheirava saborosa no prato. De pé, à cabeceira da mesa, eu escorria palavras higiênicas, fortes, límpidas enquanto a dentição revelava justamente o contrário.

Quantos olharam ao lado para não enfrentar a oficina mecânica? Quantos garfos histéricos diante da minha falta de notícias? Quantos perderam a gula com minha aparência junina?

Um maldito pretume na apertada fresta dianteira. Um poço de petróleo subindo de minha timidez, jorrando descuido profissional. Uma nesga de feijão arrebenta uma personalidade. Para detestar alguém, basta a capinha negra e desmiolada no fundo branco. Concluímos que seu dono é um desleixado, que deveria usar um avental dentro da boca. Ele não será promovido, nunca.

Não houve uma alma samaritana em minha equipe, muito menos na comitiva do cliente a comentar que um grão poluiu meu sorriso. Saudade da franqueza suicida de minha mãe. Custava levantar um guardanapo e indicar o canto dos lábios? Eu entenderia o mínimo sinal. Uma careta, e veria que algo escapou do controle. Mas o medo de constranger humilha ainda mais. E fui sodomizado pelo silêncio.

Depois de recitar uma hora a estratégia para um anunciante, avistei no banheiro o penduricalho labial, a argola do azar. E qualquer descrição ousa melhorar a sobra e não reduz o impacto de sua chegada.

A partir daquele vexame, firmei pacto de sangue: sempre avisar quem está com os dentes sujos. Seria um retrovisor de restaurante, inimigo declarado da couve, da farofa, dos temperos, das digestões rápidas e desassistidas. Apontaria fulminante e inquisidor: "Está aí, limpa!" Falaria com ou sem educação. Para me vingar da memória e antecipar o coitado de uma tarde de fofocas e brincadeiras. Um homem fica mais tranquilo quando desvenda sua vocação.

Encontrei minha namorada após o café da manhã. Seu riso é um lençol balançando em varal. Dá duas cambalhotas no vento sem renunciar a realeza do tecido. É uma alegria pousando com os dois pés de ginasta. Não tropeça mesmo com todas as acrobacias do céu do rosto.

Ela veio me beijar, assustei seu avanço como um guarda de trânsito. Os caninos apresentavam uma pontinha escura. Um traço absurdamente irritante, complicado de apagar no editor de imagem.

— Está com uma coisinha entre os dentes.

Ela suspirou:

— São tâmaras.

Ah... Tâmaras, pode. É muito chique.

Ainda a estou beijando.

O CASAMENTO ME ESTRAGOU

Experimentar um casamento de mais de dez anos estragou minha personalidade. No bom e mau sentido.
Não sei mais namorar, somente casar. Um guichê de cartório segue aberto em minha respiração.

Estou preparado para ambientes de crise e de briga, discutirei diante da mínima frustração, não aceito aguardar a reconciliação da manhã seguinte. O sofá já é rua.

Fiquei desesperadamente exigente e prático. Anseio por resultados, provas e atitudes que não me permitam duvidar do que sinto.

Claro que estou errado, o desejo é cheio de erros.

Não suporto o dizquediz, o nãoseioquê, o faleoqueestápensando do namoro.

No casamento, não há votação, há antecipação. É ter uma única chance e não se desmerecer. Confiar na escolha, escolher e ser escolhido.

Não se pergunta se a companhia gosta, arrisca-se. Casamento se faz com temperamento; namoro, com delicada concordância.

O respeito é insistência. Não existe recuo no amor, amar é se fixar. Uso os próprios ossos em cadeira e apoio, não reclamo quando arrebatam.

Somos reis, somos rainhas, somos súditos do que o outro imagina e do que imaginamos no outro. Não sobra tempo para incertezas, recompor e cuidar da carreira.

É expectativa sobre expectativa — tem gente que logo pede para sair. Arrebatamos e logo estamos endividados. Não cobramos, tão entretidos em surpreender novamente.

Em conversa de pescador, meu avô explicava que o mar é um imenso tédio para quem procura peixes; deve-se procurar unicamente o mar, e o cardume não deixará de vir.

No casamento, não desperdiçamos a sesta, a tarde juntos; é tudo ou nada, toda folga é uma lua de mel. Um dia lindo, e vamos para a serra, assim como as roupas vão para o varal. Simples como comer laranja de pé.

Amar é como moedas na carteira, nunca descubro ao certo a quantia que carrego e me decepciono e me deslumbro com aquilo que acho.

Criei hábitos irreversíveis, não irei mudar, coloco os tênis sem as mãos, dobrando o couro com os calcanhares.

Casar é doação; a maioria desiste, a maioria se entrega, a maioria cede, o que não é a mesma coisa. Ama-se o próprio amor sem esquecer de amar o amor dela sem esquecer de amar o encontro desses dois amores.

Se surpreendo, quero ser surpreendido. Não tem moleza. Quero flores, quero prato predileto, quero sair para dançar e ser levado no colo da boca, quero voltar para casa com bilhetes, quero ingressos num envelope debaixo de uma porta, quero arder como o mais amado dos amados.

Um homem casado é — no fundo e no raso — uma mulher romântica.

DO LADO OU DE FRENTE?

Divido os casais entre aqueles que sentam um ao lado do outro e os que ficam um na frente do outro. É um detalhe determinante da relação, como segurar as mãos da namorada como uma esponja ou entrelaçar os dedos.

Os que ladeiam a montaria das cadeiras não infundem paixão. São mais amigos do que amantes. Quase irmãos: mudos, telepáticos. Repartem igual perspectiva da paisagem. Não completam as observações, repetem as versões do lugar e do momento. É triste quando são abduzidos por um programa de tevê.

Distraídos entre si, já se esgotaram, almoçam e jantam fora unicamente para comer.

Optam por testemunhar a movimentação da sala ao mesmo tempo e na mesma hora. Não há a concentração no rosto da companhia. Dependem do que acontece externamente para encontrar assunto.

Podem sussurrar e beijar com mais facilidade, mas são os que menos beijam e se acariciam. A proximidade dificulta. Conversam olhando para longe. Não há paredes de braços para confidências e angustiada aproximação do peito na quina para se ouvir. Não empurram a garrafa, os copos, o mal-estar e os arranjos para não perder a permanente perseguição das pupilas.

Talvez conserve a dois a diagramação familiar completa (como se os filhos estivessem presentes), mas me incomoda a falta de provocação frontal, do desafio dos gestos, dos avanços das pernas debaixo da toalha. Evocam desconhecidos em refeitórios de empresas, reunidos somente pela cadeira vazia e ausência de mesa própria. Retratam o cansaço no ônibus de passageiros retornando do trabalho. Chamam o garçom, aliviados, esticando a cordinha da parada. Descem em silêncio para seus problemas.

Pertenço ao grupo que senta frente a frente. Faço um quarto com guardanapo. Aponto a faca e o garfo, dependendo das frases. Existe uma oposição excitante. Fecho os segredos com os ombros. Estamos em público, entretanto reservados, íntimos, pessoais. O restaurante flutua. Preservo a minha namorada para a troca de críticas e de ofensas. Não a salvo da demonstração do afeto. O desejo contraria o conforto.

Todo beijo caminhará uma quadra de linho. Todo beijo é um noivado. Levantado, esparramado, escandaloso, atravessado, sobrevoando as travessas.

Por um instante, breve e memorável instante, a mesa conhece a vastidão da cama.

VIDA DE POETA

Escondo a etiqueta do meu corpo. Coloco para dentro da pele. Não permito ninguém reparar meu valor. Há uma ilusão feminina de que viver com um poeta é uma maravilha, que ele é um semideus da sensibilidade, superdotado de gentilezas e afagos.

Lamento decepcionar, o sonho acabou. Antes de sua morte, Lennon descobriu que não se leva poeta para casa — no máximo, come-se em motel.

Não sei o que as mulheres imaginam, mas só o fato de elas me imaginarem me tornam bem melhor do que realmente sou.

Talvez confundam o poeta com a própria musa. Se for, me enquadro numa musa raquítica.

Será que acreditam que ele estará recitando versos aos ouvidos, num plantão 24 horas? Não, convenhamos, é insuportável. Já procuramos um intervalo comercial quando é prosa.

Será que confiam que é derramado e caprichoso em tempo integral? Será que supõem uma lenta massagem nos ombros para espantar enxaquecas? Que é um homem pronto para escutar os desabafos, que nunca soltará um desaforo de graça nem quebrará um cisne de porcelana de Taiwan?

O poeta é sempre a exceção para quem não vive com ele. Encastelo-me com a série de perguntas dirigidas aos meus familiares.

— Como é ter um pai poeta? Deve ser lindo.

— Como é ter um namorado poeta? Deve ser lindo.

Lindo? Assim como virou hábito visitar a cozinha dos restaurantes, recomendo aos vereadores de nossa cidade instaurar a lei "Visite seu poeta".

Ficarei tão constrangido como nudez de macho em lago gelado. É certo que no domingo estarei assistindo a uma maratona futebolística, entremeada dos campeonatos espanhol, italiano e inglês, além dos estaduais. Emendarei um jogo a outro, sem pausa. Falarei disso no resto do dia, depois de acompanhar os programas de reprise de gols e comentários das rodadas. Lembra alguém?

Se ela desfilar de lingerie pequeníssima, sou capaz de entortar o pescoço para não perder o lance... na tevê.

Não me diferencio de nenhum estereótipo masculino. Frequentarei o mercado a contragosto, praguejando as filas e o estacionamento. Reclamarei no momento de visitar a sogra. Vou esperar comidinhas de mão beijada. Não atenderei ao telefone. Talvez leve o lixo para baixo e lave a louça, o que não traduz culpa e reconciliação; é uma tática para renovar o crédito da vadiagem e pedir mais em seguida. Dormirei num espetáculo de balé ou num musical. O ronco cumprirá minha rara intervenção no teatro, uma espécie de aplauso. Não duvido de que não perceba o corte de cabelo novo da namorada. E sua vontade de sair e caminhar ao redor da praça.

Tão parvo e tosco como qualquer marmanjo num final de semana.

Não troque seu marido por um poeta. Os direitos autorais não compensam.

GRAMÁTICA DO AMOR

Não me adaptei para as mudanças ortográficas. Não estudei a fundo a reforma a ponto de adotá-la. São idéias. São vôos. Pêra continua com a casca. Pêlo segue sem depilação. Heróico ainda é covarde.

Não é preguiça, queria que fosse resistência ideológica.

Mas estou envolvido com as alterações na gramática do amor, que me tomam a concentração e o abajur. Comparo o que fui com o que sou, resvalo em dupla falta: de sono e de insônia. Não consigo dormir e ficar acordado. Uma enxaqueca vocabular que não diminui com os olhos fechados. Uma pontada das pupilas até para recordar. Não imaginava que teria que usar óculos para a memória.

Depois de separado e agora namorando, não posso me distrair um momento. Meu corpo fora condicionado a chamar uma mulher. A agradar uma mulher. A me socorrer dela. E ela não está mais comigo. Procuro me desvencilhar da telepatia formada numa década de casamento. Não chegava a pensar: assobiava vontades. Passava a boca sem olhar. Reservava cidades e cadeiras em mim. Além do passado, eu amava o que viria a acontecer com ela. Meu futuro estava assinado — esforço-me para riscar os traços sem adulterar, sem ninguém notar a substituição das manchas. Falsifico minha letra para parecer convincente. É como mudar de assinatura para me roubar. É como assumir uma casa no campo e diluir toda uma vida feita para chamar atenção.

Há excessos de pressentimento no amor. Há muitas lembranças com nome nas costas que não cheguei a viver. Há costas em minhas atitudes que não enxergarei. Uma predisposição que não é mais dela; sequer é minha.

Mergulho confuso nas regras.

Há uma divisão terrível de personalidade, que planeja e não diz, que reage e requer controle, que seca quando jorra. Estou em licença, abstinência. Enfrento um período de revisão, tenho que desejar duas vezes para não cometer gafes. Assombrado de crueldade comigo e com quem me acompanha.

Eu me arranquei da rotina, e as palavras que usava, agora não tremem mais. Sou um adulto desenhando a grafia e perdendo o sentido que vinha da pressa.

Não me refiro a trocar o nome da ex-mulher com o de minha namorada. É insignificante perto do que pratico. Mais grave, mais infiel, mais triste pelo constrangimento que crio e que escapa dos filtros. Articulo o nome, duro é conter o que não tem nome, que corre pela intuição.

É estender o cigarro para a namorada que não fuma. Perguntar se ela gostou de rever um restaurante que não conhecia. São vislumbres da minha incapacidade de conversar corretamente e não absorver o idioma de um novo amor. Meus pecados nunca se falaram tanto. Descubro que minha melhor caridade vem dos pecados.

Não é ausência de cuidado, mas uma dependência que não se cura de imediato.

Em nossos hábitos familiares, existia uma brincadeira que fazíamos nas estradas. Ao passar pelo controle de velocidade, tentava marcar com o velocímetro a idade dos passageiros. A minha, da ex-mulher, dos filhos. A cada acerto, comemorávamos cantando U2. Convertíamos a censura do radar em adoração do tempo.

Em viagem pela serra, ao lado de minha namorada e com meus filhos no banco de trás, atravesso um dos controladores, e assinalo 39. Grito histérico; festejo com naturalidade:

— Viva! Quem tem 39?

Todos se calam. É a idade da minha ex-mulher.

Talvez seja hora de ser multado pela lentidão do raciocínio.

EM TODO LUGAR

Não desconfiei quando ela atravessou a cidade para abastecer seu carro num posto de gasolina.
— É o meu predileto — disse minha namorada. — Só abasteço aqui.
— Isso é que é fidelidade — respondi.

A gasolina pode estar faltando num extremo de Porto Alegre, a reserva do tanque tem que aguentar até o seu posto, não o primeiro que surgir, nem um reles qualquer. AQUELE! É uma corrida enervante e asmática com a quilometragem na ponta do lápis.

Ela me seduz com frases dóceis de que lá o combustível é melhor, puro, que rende bem mais. A sorte é que não entendo patavina de automóvel, abano a cabeça por não me sentir apto a explorar minha contrariedade. Nunca mexi num motor, nunca troquei um pneu. Eu apenas me retiro de uma conversa quando não dá para ganhar.

Estava dizendo não desconfiei, o correto é "desconfiei tarde demais".

Quando inventamos de aprontar um churrasco, ela saltou na minha jugular:

— Tenho o lugar, tenho o lugar! É carne de primeira!

Aceitei, ela me seduziu com frases dóceis de que lá a carne é melhor, direta de São Borja, que é macia e seria fatiada com uma colher. A sorte é que não entendo patavina de carne, abano a cabeça por não me sentir apto a explorar minha contrariedade. Nunca assei uma picanha, nunca segurei um espeto, nunca preparei um morrinho de carvão com uma garrafa no meio. Eu apenas me retiro numa conversa quando não dá para ganhar.

Saímos da Bela Vista para o bairro Menino Deus. Dispensável comentar a distância. Enorme. O equivalente a visitar meia metrópole ou escutar dois CDs inteiros de Drexler.

Partimos ao açougue do Moacir. Com o azedume típico de um escorpião em conserva, aventei a hipótese de ser vegetariano. Mas engasguei ao imaginar onde ela adquiria verduras e frutas.

Explicou que é numa feira na Cidade Baixa. Fácil chegar. A histeria temporal é que somente acontece no sábado, de tarde, com a interrupção do trânsito na rua Vasco da Gama. Ela não vai levar os produtos do supermercado, como a maioria dos comensais. Espera uma semana para cumprir um rancho com seu feirante predileto. Sabe, inclusive, o nome de seus filhos. Ele seleciona melão, alface, tomates, uvas e objetos não identificados. Sem o seu feirante, a geladeira não existe. É carestia bélica por sete dias.

Seu salão de beleza fica no bairro Santana, sua livraria está localizada no Iguatemi, seu massagista em Assunção. Não há meio-termo, concessões; torturante discutir alternativas, é onde frequenta, aprendeu a admirar, e ponto final. Isso é o que chamo de personalidade, sou um adolescente espremendo espinhas perante suas decisões.

Era o paraíso enquanto permanecia girando pelo carrossel da cidade.

Com uma dor súbita nos dentes, ela avisou que marcaria uma consulta odontológica. Não captei a solenidade da advertência, pois me perguntou, não comunicou simplesmente.

— Claro, resolva o quanto antes.

De volta ao trabalho, confidenciou que separou uma hora no final de semana.

— Final de semana?

— Sim, no sábado, é mais fácil ir para Torres.

— Torres?

Seu dentista mudou o consultório para o litoral gaúcho. Foram cerca de 200 quilômetros para curar uma cárie. Virei motorista de caminhão (com saudade de minha vida de taxista).

Tremo quando ela agendar a consulta com a ginecologista. Vá que seja no Amapá.

INUNDAÇÃO

Lorenzo me pediu uma dedicatória.
Depois de visitar a casa dele.
Você deve estar perguntando quem é Lorenzo.
Há maneiras de descobrir uma vida sem dizê-la.

Assim como antes de entrar em sua residência, eu vi um menino de sinaleira cansado da sinaleira. Chovia cântaros. Ele plantava bananeira no gramado. Não fazia nenhuma aparição para ganhar troco. Nenhum espetáculo diante dos carros. Experimentava a bagunça da chuva, sua infância por um momento, sem a pressão dos pais. A torrente o libertava de seguir o tempo das cores. Logo se aproximou do meio-fio para receber chuveirada dos veículos passando. Atiçava poças para se banhar. Os pés descalços e o calção marrom. Acelerei para esguichar a tempestade em seu corpo. Trovoamos juntos. Seu riso foi um relâmpago e acendi os faróis.

Na hora de autografar, errei o nome de Lorenzo. Escrevi Lourenço. A letra torta me ajuda a errar nomes e não ser descoberto. Mas notei que errei o nome dele mesmo conhecendo.

Não é a memória que guarda, mas o desejo. Tenho que desejar a memória de guardá-lo.

Lorenzo apanhou a folha como um guardanapo de doce. Desembrulhando. E perdoou a grafia erradia. Eu não corrigi porque não me dei conta no momento daquilo que tinha feito. Eu me lembro somente depois do que escrevi. Ler não é revisar.

Seu olhar caído não me repreendeu. Não me isolou na gafe. Não policiou a troca. Trocar suas letras não lhe arrancava o nome. Ou a ternura que eu transferia ao nome.

Ele mostrou a janela redonda de seu quarto, desenhada pelo avô. Experimentava a bagunça da chuva, sua infância por um momento, sem a pressão dos pais.

O avô nunca se despediu. Antes de um jantar, chamou Lorenzo para perto e avisou que estava preocupado.

— O que foi, vô?

— A árvore do nosso jardim está morrendo, não é uma pena?

Lorenzo encolheu os ombros, baixou a copa por uma fruta. Mas reconheceu que o avô usava a árvore para morrer. A árvore morria no lugar dele.

Não falaram mais nisso. O avô percebeu que Lorenzo entendeu. Mesmo Lorenzo sendo Lourenço, mesmo o avô sendo árvore.

A conversa entre os dois atrasou a comida naquela noite. E adiantou em muito a minha fome.

BOCA MOLE

Sou abençoado com conversas femininas. Elas esquecem que estou ali e soltam os cachorros nos vizinhos. Em Sampa, passeava com Regina Rosa e Viviane Mosé. A maldade nos olhos delas é virtude. Incomparável. A malícia das amigas trocando confidências, inventariando amigos quase me deixou perplexo, se não ficasse sensibilizado. É uma escola de farpas.

Mulher quando fala mal é profissional — são amadoras para receber elogios. Se os varões soubessem o quanto são avaliados, desistiriam de acordar. Eu desisti de dormir.

As meninas têm uma tese infalível para comprovar a masculinidade do sujeito. Não é reparando nos trejeitos, na flexão de palavras, nas gentilezas vitorianas. É analisando a boca. A boca diz tudo. Lábios grossos, lábios finos: nada disso importa. O que faz a diferença é a rigidez. A firmeza. Boca requer cintura e bíceps.

Homem que é homem não pode apresentar boca mole. Pior do que enxergar o namorado penteando as sobrancelhas. Pior do que macho com teta. Pior do que transar com meia escura. Pior do que barriga de cerveja. Bem pior.

É aquele que fala sem tensionar os cantos da boca. As linhas vermelhas não ameaçam desejos. Os ângulos não se mexem. É uma afetação treinada, confessa seu pensamento a partir de bolhas de sabão. A vontade é estourar suas frases no momento em que estão saindo.

A língua isola os ruídos, as quedas e os rompantes. Não vai babar, não vai cuspir, não vai mostrar os nervos. É um palavrório de gengiva. Estica os lábios com a displicência de suspensórios, não aperta a carne como cinto.

Homem de boca mole é reconhecido no cumprimento. Beija como tia: dando a face. O Instituto Rio Branco veta seu ingresso na diplomacia, mesmo que seja versado em seis idiomas. Perigoso para a manutenção da paz e das orgias.

Engoliu um saxofone. Engoliu a própria mãe. É o marmanjo que engole a gripe para ser educado.

Seu desenho é assexuado. Não sugere a violência das pernas com o sopro, não insinua a crueldade dos braços ao chupar o ar. Homem que é homem já vai suando com a boca antes de qualquer coisa.

Boca mole é um teatro de dedinhos que as crianças costumam fazer. Um ventríloquo arrebentado.

Não é problema de articulação, é de junção. Complicado devorar um boca mole, não tem tempero, não tem sal, é o mesmo que sopa, mingau, amassadinho de fruta.

Grosseria tem perdão, a falta de iniciativa é indesculpável.

Mulher odeia homem que palita os dentes em churrascaria. Odeia ainda mais o boca mole, que não consegue nem segurar o palito.

UM CARRO, CASADO

Quando baldeava a pé pelo bairro, espichava o rabo do olho para as garagens dos vizinhos. Ouvia o sibilar da porta se levantando e já procurava confirmar se encontraria dois ou três veículos estacionados. Quase contava com os dedos, escandaloso com a curiosidade.

Sentava no ar ao me imaginar com dois carros, um todo meu e outro para minha mulher. Seria a glória cada um ter sua própria condução para ir ao trabalho e fazer seus roteiros. Sem aquela explicação de onde vou e quando volto. Sem os horários estreitos e o medo de não chegar a tempo.

Os dois não brigariam para escolher o modelo, definiriam a fábrica de sua preferência sem longas e aterrorizantes conversas entre vendedores. A cor da lataria não passaria pela aprovação do condomínio familiar (talvez por isso tenha tantos carros brancos). Nenhum lançaria um olhar suplicante de madrugada para arrebatar uma carona, nem mendigariam ao telefone com o propósito de regressar cedo de um compromisso. Não haveria cobrança e retribuição de favor. Metade das discussões estaria abolida.

Ao atingir o conforto e a independência, amarguei uma brutal solidão. Solidão de açude.

A música não preenchia o banco do lado. Os caminhos foram se tornando mais longos, os engarrafamentos mais demorados, as sinaleiras mais indolentes. Abandonei o pisca-alerta da respiração. Não estacionava em local proibido. Não chovia faróis nas paredes. As desculpas sumiram para as pequenas transgressões no trânsito.

Não achava graça em não ser esperado, eu me desimportei em dirigir. Entendi que não sou motorista para me satisfazer, minha habilitação é sair de mim. Quem ama torna-se chofer. Atravessa o cansaço pela recompensa da cabeça dela deitada em seu ombro.

Como era gostoso apressar a casa no automóvel — ela estaria comigo durante o caminho brincando, descrevendo seu serviço, mostrando uma canção nova.

Na verdade, levava minha residência comigo.

As decisões surgiam em conjunto, inesperadas. Tomávamos um café no posto, lembrávamos da necessidade do mercado, alterávamos a rota por um cinema.

Os casais se conhecem enormemente com um único carro. Preocupam-se com gentilezas, retribuem acenos, além de alternar a marcha com a maciez da mão de sua companhia.

A falta de recursos é uma intimidade luxuosa. Um carro apenas, que seja velho, com as janelas trincadas, os bancos emperrados. Existirá um esforço maior para ser atento e misturar os trajetos.

Aposto que a vida será apertada, mas nunca os dois vão deixar de se procurar.

CINCO PASSOS

Os flocos luminosos se desprendiam dos tapetes e colchas na janela, os pés pequenos e gorduchos entortavam as unhas nos frisos do piso. No salão loiro de meus cabelos, procurava os chinelos do pai na soleira.

Não havia tapete na porta da cozinha, mas o incansável par azul de havaianas, enrugado de céu. Encaixava os dedos nas solas brancas, como quem comete uma molecagem. Deveria estar cometendo. Eu me equilibrava nos patins gigantescos, arrastava as tiras pelo barulho comovido de caminhar. Suspirava a promessa do longo corredor. O orgulho de usar o próprio corpo como teatro. Chapinhava a névoa, escorregava e me reerguia até o pai me enxergar e bater palmas.

Girava o corpo quando ele me via, hesitando para não ser abraçado. Seria abraçado, mas corria desesperado. Provocava. Ele me perseguia para me carregar no colo. Conseguia mais cinco passos antes de ser alcançado.

Esses cinco movimentos — direita, esquerda, direita, esquerda e direita — eram intermináveis, a ansiedade feliz de avançar e ouvir suas turbulentas pernas no encalço. Sua barba roçaria o pescoço e seus braços encontrariam o território das cócegas da cintura. E não haveria mais como controlar as gargalhadas.

E são exatamente os cinco passos que separam a admiração da bajulação, duas atitudes próximas no relacionamento. Um passo em falso na ternura, e abandonamos a coragem.

Existem casais que confundem o elogio com o afeto.

Casar não significa concordar. Isolar do convívio não é proteger. Amar não é dizer sim como costume, evitar a dissidência porque dá mais trabalho explicar e achar a palavra certa.

Fazer tudo pelo outro é enganar. Duvide quando a resposta é sempre a mesma, igual, carregada de diminutivos. A dependência pela vaidade não traz verdade.

Os bajuladores amorosos separam os filhos dos pais, fiscalizam os amigos, realizam uma peneira familiar, criam suspeitas e desconfiança onde existia a boa vontade.

Já os admiradores amorosos apontam sem pudor o que enxergam e ficam na pele para ajudar a cicatrizar. Antecipam a ferida, mas retardam os cuidados.

Os bajuladores compõem a maioria dos pares, desistindo da audácia do encontro pela estabilidade. Será aquela mulher a comentar que a comida que ele preparou está ótima quando não termina o prato. Será aquele homem que percebe uma combinação cafona de sua esposa e confessa que ela nunca esteve tão bonita para sair logo. Desistem do exercício da crítica pela educação. São crianças mimadas que não aceitam perder. Muito menos se ganham de novo.

Minha alegria tem cinco passos. O momento em que desafio o abraço e vou na direção contrária para merecê-lo.

NOVO AMOR

Um novo amor desorganiza a casa. Não se acredita no que está vivendo para se acreditar mais.

A reação inicial é a da incredulidade: ele não gosta de mim, é só amizade, não estamos juntos. Mas dentro ressoa o contrário: ele gosta de mim, é mais do que amizade, já estamos juntos.

Os pensamentos brincam de esconde-esconde. Esconder o que se sente para os próximos, mas mostrar para si o que se conquistou. Jogo de convencimento, devagar e sensível.

Logo bate a covardia: seremos enganados, não dará certo. Em seguida, a coragem revida: ele é sincero, dará certo.

Somos nossos piores amigos, nossos melhores conselheiros. É uma insegurança tensa. Será que ele está pensando em mim? Será que ele me deseja a ponto de não fazer outra coisa? Não se admite experimentar sozinho o estado de paixão. Há uma gana pela cumplicidade. Não se entra na briga sem a recompensa de se descobrir acompanhada.

A comparação torna-se inevitável. Fica-se a sondar sua intimidade e a estudar seus sinais e caligrafia. Em algum momento, deve ter deixado claro que me ama e busca-se a confirmação. Revisam-se as mensagens, os recados. Mas não há ajuda, não há clareza no amor, tudo é falado com ambiguidade. Não se arriscam certezas. As certezas são duras e frias. As certezas agridem. O que ele escreveu pode significar ternura. Não significa que está a fim.

Flutua-se no balbucio, no nervosismo até o próximo encontro em que será possível identificar sua intenção. Mas nenhum encontro futuro vai assegurar o amor. A convivência não esgota o desconhecido.

Fica-se a relembrar a ordem das palavras ditas, inclusive a ordem das palavras não ditas. Evocam-se a ordem das risadas e a confusão dos gemidos. São refeitas as contas, muda-se o método de enumerar e não se chega a nenhuma conclusão. Resta o mesmo resultado, a mesma indefinição infantil. Ele me ama ou não me ama? A impressão é que emburrecemos progressivamente, nada presta ou nos prende. Dispersivos, desenhamos apenas corações, florzinhas, estrelas e chapéus nos papéis amarelos. Esquece-se o vocabulário. Pioramos as ideias desde que se tentou definir o amor. Já estamos sofrendo antes mesmo de amar.

Fingimos que ele não entrou em nossa vida para suspirar com sua aparição. Guardamos sua foto no nosso quarto, voamos para a sala e não aguentamos, voltamos para vê-la de novo, para confrontá-la com a nossa imaginação. E dormiremos cedo para enganar a fome.

AI MEU DEUS

Não resisto, que me casse a carteira da crisma, posso ser excomungado, mas confesso que não resisto.

Talvez seja a minha severa formação católica, a coleção de santinhas da infância, a precocidade da primeira comunhão, o chuveiro demorado, a antiga coluna de Carlos Nobre com tiras de mulher pelada no jornal *Zero Hora*, o fetiche por saias plissadas azuis, o fascínio pelo cheiro de vela e de orquídeas, tudo no liquidificador formando uma de minhas obsessões auditivas.

Despacho as proteções quando uma mulher solta um "Ai meu Deus", intercalando seus gemidos. Largo as defesas. Chuto as sombras do lustre.

Eu me curo do que ainda nem sofri. Encontro a escada rolante dos céus. A nudez recebe seus estigmas — abençoada pelos seios.

Na mais alta luxúria, com os lençóis arrastados ao chão, no abafamento do corpo, o que ela pensa em soletrar ao apertar a mão com ferocidade?

"Ai meu Deus."

A exclamação não surge no mercado, na loja, no trabalho, mas na cama.

No momento em que deveria aceitar o inferno, assobia para Deus, pede para que Ele se aproxime e ainda veja o que estamos fazendo. Muita safadeza para compreender numa noite. Com um simples impulso, a mulher nunca mais volta para si.

É uma contradição saborosa. Um paradoxo trepidante. Como se estivesse rezando para que o prazer não seja tão violento. Para diminuir a excitação. Para frear e doer menos na volúpia.

Nenhum macho tem preparação para se defender desse apelo místico, desse grunhido bíblico, dessa oferenda suspirada no fervor do pecado.

Há um backing vocal mais provocante?

Em vez de urrar meu nome, ela martela a voz: Deus para cá, Deus para lá. Você se percebe um instrumento. Um transistor. Uma corrente do espírito do santo.

Não é mais sexo, é uma trepada mística. Um triângulo amoroso quase imperceptível.

E se prepare: será uma orgia quando, ao final, ela alternar freneticamente "Ai Meu Deus" com "Ai Meu Jesus".

Eu me converto.

DÊ PREFERÊNCIA PARA QUEM ESTÁ NA ROTATÓRIA

Posto de conveniência no feriado é quando a rodoviária e o aeroporto se encontram. O povaréu dos dois embarques está sinistramente reunido.

É a dona de casa que busca o leite que falta ao filhote, é o bêbado que anda torto pelas estantes a catar mais cerveja e energético, é o internauta que recebe fotos de pretendentes seminuas por e-mail e amplia perversamente a imagem para analisar as coxas, é o solteiro que vem consertar sua fome com salgadinhos e congelados, são os namorados que vão tomar um café depois da ressaca da dança, é o velho que só foi comprar o jornal, é o vendedor de flores a caçar troco rápido, sou eu intrigado, matutando como é raro achar uma companhia que desperte com bom humor.

Eu me percebo amaldiçoado pela minha alegria logo cedo. Culpado pela algazarra. Reprimido a rir baixo para não desagradar meu amor. Sim, quem acorda animado é que está errado e não respeita o ritmo silencioso e devagar do outro. Serei motivo de piada familiar, processado por desvio comportamental. Onde já se viu acordar disposto?

Não importa se dormi pouco ou muito, se fiz sexo ou não, se entrei no negativo ou flutuo no positivo, estou pilhado, elétrico, quase histérico falando o que leio no jornal, o que sonhei, o que desejo aprontar no dia. A lista do mercado está feita quando pulo da cama.

Aliás, eu pulo e minha namorada senta, relaxa, caminha de olhos fechados pelo corredor e desenvolve um sonambulismo hipnótico, afeiçoada ao teatro das sombras.

Todas as mulheres com que já me envolvi não me compreenderam porque não compreendo que devo me calar de manhã. Nunca tenho preferência, nunca estou na rotatória. Atrapalho o trânsito das cobertas ao desjejum; atropelo, um carro passeando numa ciclovia.

Integro uma minoria sem sindicato. Fico com a fama de implicante. A impressão é que me inscrevi para uma aula de yoga, entrei para um curso de meditação domiciliar.

Pode falar, ela diz.

Mas falar sozinho é complicado. Não sei para onde olhar durante o monólogo. Monólogo é comer as palavras de colher.

A conversa depende de um retorno, e ela demora para mastigar.

— Foi bonito tudo que aconteceu?
— O que aconteceu? — ela me devolve.

Como explicar que a manhã é meu melhor turno? Depois vem a derrocada. Enfeitiçado pelo mormaço do almoço, a preguiça dos papéis, o bocejo dos clipes, a dentadura do grampeador...

Não amo pela metade, minha primeira metade é que não é amada.

CICLONE TROPICAL

Mirrado, lembro que ficava atrás na procissão familiar, mexendo numa lata encardida ou capturando inços e flores desalinhadas do meio-fio. Eu me distanciava do grupo. Meus pais censuravam as distrações solitárias:

— Ande depressa!

Hoje, o que mais costumo escutar deles é:

— Ande mais devagar!

Eu não consigo diminuir o ritmo, sou ofendido de ansioso, inconsequente, precipitado (não existe hipótese de precipitado ser usado como elogio). Se fosse cachorro, receberia coleira e correntes. Se fosse pássaro, estaria numa gaiola. Se fosse gato, o dono me castraria.

Há pessoas que são neblina, brisa e garoa, que estudam um amante antes de prova. Não tomarão nenhuma atitude sem a certeza da recompensa. Abrem a janela e trancam a porta.

Outras são furacão, imprevisíveis, que não encontrarão relacionamentos mornos, seguros e constantes. Formam uma praia perigosa. Sempre em estado de emergência.

Não me organizo. Não projeto, estou enredado na própria ânsia. Cogito que é um namoro e vira casamento no segundo dia. Nunca apresentei namorada para minha família; era esposa. Não repasso leveza em minhas intenções, e sim carga dramática, carência exagerada, promessa de libido eterna. Minhas palavras sufocam a boca. A vida planeja melhor do que eu. Erro em alguma coisa ao permanecer sozinho.

Não faço amigos, faço amores. Tive somente um final de semana solteiro em toda a minha fase adulta. Eu não morro na insônia, espero a manhã chegar para emendar as veias. Estou convencido de que me localizo nos arredores de um ciclone. Tento mudar, serenar, encontrar calma e repouso, mas não funciona. Nasci com a franja da tempestade.

Sofro um trauma territorial. É a minha natureza provocar o amplo calor e arcar com um oceano tropical debaixo da pele. Provoco furacão sem pensar. Vento vontades a 116 km/h, podendo atingir desejos de 320 km/h. Levanto um lar e logo mergulho nas ruínas, e recomeço. Nas separações, saio com os livros e as roupas, e deixo a casa.

Pareço uma cidade como Louisiana, um país como as Filipinas. Já me aconselharam a sair de mim, a procurar um lugar manso para criar meus filhos.

Mas não sou homem de abandonar meu temperamento.

RODEIOS

Mijar de pé é uma facilidade masculina.
Há a disponibilidade para explodir a qualquer momento. Num poste, numa parede, atrás das árvores, na falta de algo melhor. Já reguei a floreira da mãe e uma escultura de bronze de artista famoso de Porto Alegre.

Preparo um olhar inocente a despistar meu ato. Um pouco de teatro amador é suficiente para não dar na vista a má educação. Uma aula com José Celso Martinez serve para manter a aparência durante toda a vida.

O rosto assobia e saímos impunes.

Não seremos abordados por estranhos, denunciados por ambientalistas. Somos pichadores transparentes. Não pagaremos multa pela virilidade, não repintaremos as paredes. Alimentamos uma amizade pura com o musgo e limo. As trepadeiras são nossas amantes. Não existirá um fiscal de trânsito dos gramados, que nos abordará dizendo que estacionamos o pênis em local proibido.

Não precisamos de papel e de uma movimentação renascentista para arriar as calças. Não dependemos de um biombo, como as mulheres. A única barreira é o zíper, um oponente que não mostra a mínima resistência.

Nascemos mangueiras. Na urgência, esguichamos com volúpia. Ejetamos. A saída de emergência é mais usada do que a maçaneta.

O desembaraço tem um preço: a direção.

Regrar o dispositivo é um problema militar. Bêbado, inundei uma pia. Não me pergunte como. Sóbrio, o tapete conheceu dias de tempestade.

Acertar o halo de uma privada pede uma técnica circense, mesmo levantando a tampa. A ansiedade muda o trajeto da torrente e temos que limpar a cena do crime e conter o vazamento.

Para não sofrer o vexame do tiro ao alvo, o homem dispõe de uma estranha adoração por ralos.

O ralo é a privada perfeita masculina. Sem erro. Ecumênica com todos os lados.

Ponha pinho sol no box do banheiro como prevenção, senão lembrará das bancas de peixes do mercado público.

Sei lá o que acontece, a água quente sugere relaxamento ao corpo e o macho se desmancha. Somos líquidos desde o ventre.

Minha namorada armou para cima de mim. Criou uma cilada perfeita, destinada a inibir mijões desregulados. Nem a porta fechada me mantém seguro.

No primeiro dia em sua casa, fui me aliviar em segredo. Quietinho, reprimindo a respiração. Mas o pau escapou do centro de gravidade, como uma bola de boliche arremessada na vala.

Acreditava que escaparia do constrangimento. Não esperava que ela tivesse colocado diversas latinhas ao redor do vaso.

Uma campainha soou com o barulho da rajada no metal.

Ainda estou me explicando.

LAVAGEM ESTOMACAL REGRESSIVA

Para namorar uma médica, indico a todo pretendente passar por uma lavagem estomacal.

É sério. Não é fácil — é um choque de costumes. Ela destruirá todas as crenças terapêuticas de sua infância. As recomendações maternas consolidadas. As receitas caseiras. A automedicação.

Acabou a fase de curandeiro de balcão, a bruxaria dos palpites.

Sua personalidade irá se desintegrar em doses e cápsulas.

Ela colocará abaixo o armarinho e sua caixinha de remédios, até então inabaláveis.

Aquilo que indicava ao amigo, que dava aos filhos, que seguia com uma obediência cega não vale. Os tratamentos de décadas foram inofensivos. Perde-se a ingenuidade para conferir a bula.

Por um acidente, permaneceu ileso para encontrá-la Você não morreu antes por sorte. Por puro desconhecimento.

Sofrerá ao despejar no lixo de pedal caixinhas coloridas e listradas que não estão vencidas. Ao procurar um remédio para depressão, ficará em dúvida agora se é adequado ou não. Caso pergunte para sua namorada, descobrirá que o seu Diazepam (Valium) o traiu. Ele prejudica a memória e desgasta a disposição com o tempo.

Tonto com as desilusões, a mudez apagará repentinamente suas lembranças e fotografias Polaroid. Será um ímã na geladeira de uma farmácia que fechou.

O mercuriocromo, que é uma espécie de segunda pele de sua trajetória, que lavou seus joelhos durante boa parte das quedas, não servirá mais. Terá que demiti-lo em conversa reservada no banheiro. A combinação água e sabão é o recomendável depois de se arranhar no asfalto ou de lixar o joelho na calçada. O antisséptico em spray ocupará seu posto de trabalho na estante de vidro.

Um medicamento delata o outro, numa captura incontrolável de mafiosos farmacêuticos. O próximo Capone da falsa cura será o Nebacetin. A clássica pomada tem efeito unicamente como vaselina, porque é oleosa e ajuda a manter a pele hidratada. Mas só. Em termos de antibiótico, não tem reputação. Enganou você bonitinho. Em seu lugar, dobrará a língua para pronunciar Verutex, anti-infeccioso mais discreto e eficiente.

Quando gripado, recorria ao imbatível Amoxil? Encontre um modo de esquecê-lo, ainda que seus efeitos morais ajudassem na convalescença. Assoe o nariz para não chorar mais.

A razão é simples: Amoxil é antibiótico (para bactérias), gripe é viral. Pelo seu uso inadequado, as bactérias já estão resistentes, inclusive nas crianças. Hoje em dia se pula direto para amoxicilina tri-idratada, ou Clavulin (amoxicilina com clavulanato). Para gripe, o ócio criativo permanece o melhor combate: repouso e vitamina C com óxido de zinco.

Trágico será acenar o fim para o simpático Bactrim, sua pulseira dourada em noites de insônia. Quase nenhuma bactéria morre com ele. É indicado em infecção urinária para criança. A garganta, quando inflama, 95% das vezes é viral. O correto é mantê-la bem limpa, escovar os dentes, gargarejar um anti-inflamatório para subtrair a dor e o inchaço. E esperar. O vírus tem um ciclo de 5 a 7 dias. Não tem muito o que fazer — leia um livro bem grosso, talvez uma série como *Homem sem qualidades*, de Robert Musil.

Acostume-se com a verdade. Terá mais saúde daqui para a frente e menos imaginação. Tudo a ser feito precisa de uma receita médica. Dela, é óbvio.

MULHERES-ÓPERA

Homem é mais reservado para se meter em briga de casal.

Não falará para seu amigo que a namorada ou esposa dele é uma piranha, uma traíra, uma vadia.

Seu vocabulário é de um parlamentar, cuidadoso com as contas secretas.

Sabe que é uma fria emitir um juízo definitivo para algo que pode mudar no dia seguinte.

Se o amigo desabafa, ele escuta e bebe. Mais bebe do que escuta, e diz que está junto para tudo. Não detona ou destrói a ex. Desconfia que ainda não é ex, senão o marmanjo não sofreria daquele jeito, a ponto de enxugar o rosto na camisa do garçom.

Ele recebe a sinopse da novela, de preferência um relato bem curto, e não queima os dedos com o calor das palavras.

Vá lá que decida espezinhar a companheira e o tonto volta para os braços dela na mesma noite.

Todo amigo de um amigo em apuros não se envolve porque será o primeiro a ser crucificado com a reconciliação.

Para firmar as pazes, não existe ética:

— O Fabrício não queria que a gente voltasse, amor.

— Por quê?

— Ele falou que você é um retrocesso na minha vida. Mas não acreditei e estou aqui.

A companheira descobrirá que o melhor amigo não desejava o sucesso dos dois. Sim, maldosamente, o homem delata seu escudeiro para readquirir a confiança de sua parceira.

Uma piranha, uma traíra e uma vadia são expressões mais usadas pelas mulheres. Gostam de ofender numa separação. Tanto faz que seja o namoro das outras.

O amor é o estádio de futebol feminino. A boca suja.

Estarão cegamente do lado das amigas. Não com elas, mas como elas.

Iguais na pele e no osso.

Torcem, vibram até com a cobrança de lateral.

Assumem para si as cafajestadas, as traições, os foras. Não têm distanciamento.

Choram ao telefone, engolem soluços. Guardam a vingança do recalque. Veículo da catarse das figuras que não se expressaram no percurso familiar, tolhidas pela rigidez dos costumes. A bisavó que não xingava nada em seu tempo toma o corpo delas e tira o atrasado.

Toda amiga de uma amiga em apuros é uma mulher-ópera. Diva da dor. Mais canto do que enredo. Acompanha capítulo por capítulo da novela, de preferência com descrição bem longa e detalhada.

Uma colega telefona e confidencia que sua paixão a traiu; ela nem escuta o final da história para arrematar que é insuportável viver assim, que o tipo é um pilantra, que ela deve pular fora. Não deixa quem sofre completar o raciocínio e expor o que pensa.

Desossa o vivente de cima a baixo, como funcionária da Receita Federal. Sem perdão. Sem indulto. Malha fina no ato.

Esse sujeito torna-se persona non grata para todo o círculo de confidentes que ele não conhece. Terá uma espiã em seu encalço em cada bairro de sua cidade. Não vai relaxar mais para tomar um café num posto de gasolina 24 horas.

Assim como elas enforcam, transformam a corda em nó de gravata de casamento.

Na manhã seguinte, o cara prepara algo formidável, manda um buquê de orquídeas, desafia seus antecedentes, promete arrependimento e fidelidade. Muda de reputação na hora:

— Eu sempre acreditei nele, eu avisei que daria certo. Ahhh... Como você merece ser feliz. Mais do que qualquer uma de nós.

DEZEMBRO

Não se pode se separar em dezembro. Deveria ser proibido por lei. Constar na Constituição.
Tem o Natal, o Ano-Novo e as crianças.
Há as festas intermináveis em família.
Quem será idiota de pedir o divórcio em dezembro, logo quando encontrará todos os parentes?
Contou com o ano inteiro para a ruptura e escolheu a pior data. Dará satisfações a cada vez que se servir na mesa?
Que mesa? Não será chamado para festa alguma porque será sinônimo de agouro e tristeza. Um gambá espiritual. Um guaxinim de estrada. Um fede-fede dos pinheiros.
Não será convidado; é o principal motivo de fofoca. O pêssego do pernil.
Entre sua cara de choro e a fofoca, os familiares ficarão com a fofoca. Falar mal de você pelas costas é agradável, mais atraente do que acompanhar a Missa do Galo na tevê. A maldade não termina, não sofre oposição.
Seu sofrimento não combinará com as ruas lotadas, a algazarra das piscinas, o papai-noel das lojas chantageando sua infância.

É um fracassado, desorientado, sem casa para voltar, regressando ao seu antigo domicílio em horário de expediente para brincar com as crianças e dizer que tudo bem, a confusão vai passar, nada mudou.

Desperdiçou o grave e inadiável instante de aproveitar o 13º salário, pensar nos presentes e escondê-los no armário, arrumar a ceia, participar de amigo-secreto, mandar postais, comprar roupas. As coisas boas e deliciosas da intimidade.

Não é o momento de brigar, discutir e encontrar um culpado dentro de você.

Enterre seu amor e confesse em março. Mas não consegue mentir, é isso?

Por que, ao menos, não esperou janeiro e fevereiro, quando a maioria dos conhecidos está na praia?

Não, tem razão, daí estragaria as férias.

Mas gente normal não incomoda, não conversa sério, não se machuca no período natalino.

Desista, o mês é curto, acaba em 24 de dezembro. Não há como comprar apartamento, mobiliar o espaço, arranjar um fiador. Muito menos o eletricista terá disponibilidade, o mesmo ouvirá do marceneiro para desmontar e montar as estantes. Não vislumbrará os homens do frete nas praças.

Pretende desabafar e procurar tratamento. Pretende explicar que a separação é parto natural, que não é uma cesárea para escolher o signo da criança e a data do nascimento. Esqueça também, acha que encontrará algum psicólogo com agenda?

Estarão em festa com a família, onde deveria estar, seu idiota!, se não inventasse de destruir o Natal dos outros.

Ninguém deseja ser infeliz em dezembro.

Seu insensível, como pode arrancar da tomada as luzinhas da árvore?

EXUBERÂNCIA SECRETA

Os mais práticos leem o jornal de manhã. Consultam o tempo, giram em torno das principais notícias, absorvem as informações no desjejum.

Despertam com as longas folhas do impresso. E descartam os cadernos para nunca mais. Com os farelos de pão na janela.

Os mais esperançosos, uma pequena minoria, leem o jornal de noite. Como a confirmar o que aconteceu ao longo das horas, a conferir o que virou antigo e o que permanece recente.

Dormem com as longas folhas do impresso. Como um segundo travesseiro.

Eu me interesso justamente por aqueles que não pensam que o jornal morreu depois das 18h. Encontram nele a duração de um livro. Catam uma notinha que passou despercebida para grande parte dos leitores.

São os únicos que desafiam a efemeridade.

Quem tem fé revisa. Olha de novo. Culpa-se por distrações.

Regina é uma das poucas crédulas que conheci em minha vida. Ela sempre está rindo, guarda as mágoas para o quarto, não empurra sua boca com a pressa. Alegre porque não depende de muito para existir. Nunca vi alguém tão feliz em receber uma bala de chocolate.

— Combina com meu batom — ela me disse.

A produtora me contou que começou a ler o jornal antes de dormir, no momento em que sua mãe envelheceu.

— É o que encontrei para entendê-la. Não deixar nada sem ser lido.

Os velhos conversam imensamente com os filhos de outro modo. Pelas coisas da casa. Pela mudez dos hábitos. Estendendo a toalha da mesa, tomando um chá, oferecendo uma blusa, acariciando a renda de um sofá.

Os abraços explicam.

Todo objeto em que eles tocam é uma frase: um pente, uma chaleira, uma bolsinha de crochê. Segurar é lembrar. A memória escorre.

Regina entendeu os longos silêncios de sua mãe Isabel, 79 anos, quando a acompanhou ao ginecologista.

O silêncio não era falta do que dizer, mas exuberância secreta.

Isabel nunca tinha falado de sexo para a filha.

Foram silenciosas ao médico para exame de rotina. Isabel avisou que não precisava de companhia. Regina insistiu. Isabel estava no seu quarto casamento, vivendo com Emílio. Regina estava solteira.

Duas adultas na aparência, meninas nas hesitações, o pudor de que uma palavra estragasse a amizade.

Para contrariar o apelo materno, Regina entrou junto na salinha.

O ginecologista examinou e fez as perguntas genéricas de saúde.

Isabel respondia para dentro. Quando ele questionou como estava a vida sexual dela, o dentro foi mais dentro ainda.

— ...

— O quê?

Ela se encabulou diante da filha. Sacudiu as pálpebras de leve, não encontrou o efeito desejado, tal guarda-chuva sem varetas. Contraiu a vergonha de ser confundida como uma velhinha assanhada. Uma ninfomaníaca da melhor idade. Absolveu-se com os ombros:

— Emílio me procura, eu deixo...

UM TRUQUE DAS MULHERES

Não há como esquecer uma mulher. É trabalho em vão. Nem a pior cachaça do mundo servirá como borracha. Ficará de ressaca, enxaqueca e ainda lembrando dela.

Não há como esquecer uma mulher, já que ela sempre esquecerá algo em sua casa. É um segredo feminino confiado de geração a geração. Um sintoma da ubiquidade. Uma lição que deve ter sido transmitida numa aula de educação moral e cívica que os homens faltaram para jogar futebol.

Conheceu alguma beldade que não deixou um brinco ou uma pulseira em sua cômoda?

Na primeira vez, dirá coitada e tentará correr para devolver. Mas aprenderá que não é justo sofrer e acelerar a garganta. Ela voltará para resgatar a peça. Mesmo que atrasada meia hora ao serviço, voltará com o ar cortado e lhe dará um último beijo e entenderá que o último beijo antes havia sido o penúltimo e inicia o vício de não se despedir mais.

É um lapso consciente para despertar novamente a vontade e largar pistas da exagerada existência pelos seus hábitos. Não é nenhum ato falho, acidente, está no sangue dela plantar provas e cultivar lembranças.

Quando apaixonada, será uma gincana. Mulher foi um motoboy na encarnação anterior.

Trocam um longo abraço, confessam adoração pela noite passada; ela desaparece no corredor. Você regressa ao sono. Dez minutos depois, toca a campainha.

— Desculpa, esqueci o celular!

Você desconfia que ela somente reapareceu para ver o que estava fazendo. Mas não conseguiu fazer nada.

Suspira um "avoada" com ternura.

Você retoma a tranquilidade dos travesseiros e logo estala a campainha.

— Ai, desculpa, esqueci os óculos. Sem eles, não dá para aguentar o sol.

Você mantém uma sonolência generosa. Ajuda a procurar, sofre com a confusão do quarto e acena em definitivo com os lábios.

Suspira um "desajeitada" com ternura.

Você se recolhe nas cobertas até que ela decide bater na porta para não enjoar a campainha.

— Não sei o que está acontecendo comigo... Esqueci a presilha, meus cabelos ficam loucos de manhã.

O porteiro não assimila o vaivém de mudança. Procura um caminhão de frete oculto na esquina.

Você não pode dormir mais. Senta, recapitula o relacionamento e espera o próximo descuido.

Se houver uma quarta vez, é o momento de entregar o apartamento. Ou de se entregar.

ACEITO FIADO

O que podemos deixar aos filhos? O que fará um filho acreditar na vida mais do que a gente acreditava?

Não devemos prevenir as crianças com o nosso ceticismo. São frases que retiramos da primeira gaveta do medo: "Não insiste", "Quebrará a cara", "Não vale a pena", "Não dará resultado".

Pessimismo não é sinônimo de inteligência.

Há papo mais chato do que de ex-petista, ex-fumante, ex-seminarista, ex-carnívoro, ex-fanático por futebol, ex-marido, ex-mulher, ex-pecador? Além de arrependidos, mostram-se curados do passado. Insuportáveis com suas lições empíricas.

Articulam acrobacias com a língua para desfiar seu rosário de decepções. São imbuídos da missão sagrada de alertar aos colegas e amigos dos horrores de suas vivências. Evangelistas do apocalipse, pregam suas conversões com a capa preta do diário.

Amaldiçoam a divergência. Numa conversa, vão desconsiderar qualquer opinião diferente da sua com uma ameaça: "Você ainda vai entender!"

É o ciúme da fé. Temos que extrair a fé do próximo, para não sentirmos falta da nossa.

Sofrer não pode eliminar a esperança. Sofrimento sem esperança é masoquismo.

Se a trajetória não saiu conforme planejamos (e nunca sai), não significa que a nossa prole mereça seguir o nosso descrédito.

Precisamos preservar as ilusões. Sou favorável a mais ilusões, menos realidade.

Qual será o ânimo de um adolescente para retirar seu título eleitoral, se os pais falam sempre que todos os políticos são corruptos?

A infância está carregada de miragens. Saudade do tempo em que eu não enxergava. Na cegueira, a imaginação — pelo menos — avançava.

O que posso transmitir aos meus filhos é uma história de amor. De legado, nada é mais precioso do que uma história de amor. Que os casais tenham se amado mais do que vivido. Contem como os dois se encontraram: as coincidências, a atração, a resistência, as gafes, os alumbramentos. Não poupem detalhes. Sejam babacas, mas que permitam que seus filhos sejam românticos. Deem a eles a mesma chance que vocês tiveram.

Minha filha nunca cansou de me perguntar: "Por que você se separou de minha mãe?"

Explicava ponto por ponto que a paixão acabou, que começamos a brigar por bobagens, que já não nos entendíamos, que foi melhor assim, senão ela teria que crescer sob um permanente temporal. Segui a receita psicológica de expor a verdade para os filhos. De não esconder nada.

Fui um idiota. A pergunta era outra, e me escapou.

Ela procurava saber: "Você amou minha mãe? Como foi a história de vocês?"

O que posso fazer pelos meus filhos é não estragar a fé deles. É minha herança.

FANTASIAS ESPECIALIZADAS

Não estou me referindo a enfermeiras e empregadas fingidas. Comprar a touca, o avental e um espanador de pó é muito fácil.

Todo homem tem uma fantasia sexual especializada. Recatada, refinada, alimentando o pressentimento de quem um dia será presenteado com sua realização. Tara da infância que foi adiada e assumiu uma proporção épica de expectativa. Afinal, ninguém esquece o que nunca conseguiu fazer. São anos ruminando em segredo, aperfeiçoando o filme, armando desenlaces. A aspiração pode atravessar um, dois, três casamentos, e animar mais a velhice do que um carteado.

O amigo Ítalo, por exemplo, preserva uma queda imponderável por repórteres de tevê. Não sabe bem explicar se é o poder do microfone dela ou um voyeurismo manso, de estar com quem os telespectadores desejam. O caso é clínico. Ao descobrir que a menina é repórter, seu traços assumem a rapidez de história em quadrinhos e derruba meio frasco de perfume em sua gola. E tem que ser repórter de tevê, não de jornal ou de rádio. Tevê!

Aspira trepar enquanto é retransmitido o noticiário com sua participação. Ela — ao mesmo tempo — aparecendo na tevê e com ele na cama. Doente? Nem tanto, bem normal perto de aberrações pornôs nas locadoras. As fantasias apresentam restrições, senão não há graça. Não pode também ser editora ou chefe de reportagem. Quando a profissional recebe promoção e deixa o trabalho de campo, ele se desinteressa e desaparece.

Um outro colega de trago, Luís, agora nutre um fulminante interesse por alunas de Power Stretch Dance. Já experimentou a fase da Dança do Ventre e de Salão. Desenvolve roteiros de aproximação ao longo da tarde, principalmente nas reuniões de trabalho em que finge escutar seu sócio. Muda seu caminho para assistir, de um café, àquelas acrobacias maravilhosas das dançarinas de colante. Entrou em uma sessão como convidado, mas aluno-convidado é entregar os pontos de que é um depravado, movido por motivos escusos, pouco interessado em melhorar sua forma física e memorizar os passos. Foi desmascarado na primeira música.

Convivi com um sujeito alucinado por uma gari. O uniforme laranja o excitava. Tentou algumas abordagens, sem sucesso. Uma vez fingiu esperar um ônibus e puxou conversa sobre o tempo. Não recebeu resposta meteorológica. Em outra, desferiu uma ofensiva mais agressiva, ofereceu-se para segurar a pazinha. Terminou corrido como um cão sarnento.

Minha ambição é pelas tenistas. Insultado de paixão pelas vestimentas mínimas e despojadas. A minissaia e meias brancas, e a camiseta fina. O arrebatamento pelas posições acidentais, quando apanha uma bolinha e entreabre suas coxas para a claridade da pista de saibro. Ou quando se esparrama na cadeira, exausta, a tomar água nos intervalos dos games, e engole mais do que sua boca permite, criando um córrego entre os seios. Ou nos seus pulos de esforço, a pele bronzeada, as canelas esticadas ao máximo e o vento secando o suor das roupas.

A tenista é uma colegial adulta. O internato dos meus devaneios. Não há problema em aguardar. Não vou aprender a jogar tênis e perder a fantasia.

O CENTURIÃO CUIDANDO DA JANELA

Curtia um chope absurdamente gelado num bar em São Paulo. Minha mão não dava trégua para a bolacha.

Conversava com dois amigos, até que um deles decidiu telefonar para a namorada. Uma das namoradas, por aquilo que entendi.

Aqueceu a bateria com os comentários sobre futebol e partia ao ataque.

Impressionante foi a rapidez da chegada dela. Ele ligou e ela prontamente apareceu. Como aladim esfregando o copo. Parecia que morava no segundo andar do prédio. Ou que já estava na porta, esperando o assovio.

Ela era um caso, apesar de ele ser solteiro. Um caso para as noites urgentes. E o amigo não mudou o tom do papo com ingresso feminino na roda. Não fez nenhum esforço para incluí-la nos tópicos. Ficava nos encarando e seguia como se não houvesse um outro desejo em questão. Uma outra necessidade. Debochou do lugar em que ela nasceu e a provocava com a empáfia dos independentes. Envergonhada, não a observei rir e se soltar. Quis tomar a dianteira da conversa, perguntar, mas me intimidei porque a atitude seria compreendida como uma cantada e um enfrentamento desnecessário.

Ela pediu a bebida, sozinha.

Ela tentou comentar algo, sozinha.

Ela tirou o casaco, sozinha.

Ela colocou novamente o casaco, sozinha.

Os dois foram embora. Tomando chuva, ele na frente, ela atrás, sozinha.

Sua disponibilidade me transtornou. Era capaz de fazer tudo por ele, mesmo que ele não oferecesse nada.

Ele procurando sexo, ela se cegando de amor. Ele se dificultando dentro do excesso de facilidades dela.

Naquele momento, capturei o sentido do centurião romano da janela. Sentinela da minha infância.

Quando arremessava as janelas de residência, eu me irritava com as travas. Nunca as malditas janelas entravam nas travas.

Os ganchos com as cabeças de homenzinhos prendiam as venezianas para que não batessem com o vento. Uma habilidade esticar as madeiras e levantar a pequena cancela. Acreditava que era um desperdício aqueles grampos, me atrasava ou ferrava minhas unhas.

Um parto na hora de abrir o par, e um novo parto na hora de fechar, já que precisava pegar um guarda-chuva para alcançar a inclinação das madeiras e rebocar a sanfona.

Mas vejo o quanto estava errado. Não somente dependemos de janelas, mas da firmeza da gentileza. Do conforto do colo. Da segurança de um pouso. De uma paixão educada. Do que não será visto, se for cumprido. Do que não será observado, caso aconteça.

A luz que entra pelo quarto depende dos pinos que permitem que a janela não voe num temporal ou não estraçalhe os vidros com a ventania. Depende de um soldado cuidando do lado de fora. Vigiando secretamente.

É do invisível que somos feitos.

RECONCILIAÇÃO

Conversar antes do sexo é nossa possibilidade de melhorar a transa. Conversar depois do sexo é nossa capacidade de piorar a transa.

Homem que fala demais depois de trepar é porque broxou. Homem só se dispõe ao desabafo no fracasso. Ele fuma as palavras para manter sua reputação ereta, já que não conseguiu dominar o corpo. Quando satisfeito, abraçará o silêncio, como uma camisa gasta e valiosa. Portanto, não reclame do ronco do marido, do namorado. Homem feliz sexualmente ronca de tanto silêncio acumulado.

O canalha não liga para o primeiro encontro, a delícia do primeiro encontro. Deixa os começos para os cafajestes.

Ele é alucinado pelas reconciliações. Talvez isso explique sua paixão paradoxal pelo casamento.

Reatar um amor é mais trepidante do que iniciar um amor. Conquistar novamente uma boca que não o quer mais, decidida a desaforá-lo, tem mais suspense do que conhecer uma boca. A despedida humilha a estreia. Erótica pela necessidade de uma resposta urgente e agora. Transferir o nervosismo de fazer as malas para desfazer a cama.

A tensão favorece a nudez. Um abraço não é mais um abraço, mas um choque de seios contra seu peito.

Canalha que é canalha não fugirá de discutir o relacionamento ou ter um papo sério. É o primeiro a sentar. É no desentendimento que cresce. Na argumentação. Nas ofensas gritadas, quando os gatos da garganta enlouquecem os telhados.

Briga boa é feita na cozinha, com copos, pratos, facas e garfos à disposição. Com um repertório de armas nos armários.

Quando a relação está por um fio, quando tudo está contra ele, todas as evidências, ele renasce e não aceita o desespero. Acostumado a viver de sustos, não entra em pânico. Está em seu território movediço, em seu escritório de verossimilhanças: transformar desculpas inacreditáveis em versões realistas, formular enredos para coincidências, fundamentar acasos.

Enquanto muitos escapam na hora de dar justificativas, o canalha estende a toalha da mesa. Prepara até resumo da discussão. É o filho do inquérito. Não se precipita, seguirá seu improviso. O ultimato é uma garrafa de champanhe — é preciso tempo para gelar. Champanhe quente é a pior ressaca que existe. Casais não têm paciência para o congelador no momento da raiva, o canalha tem.

Conhece o corpo feminino para entender que as defesas vão terra abaixo na arena. Diferenças se esfarelam na fogueira.

Beijo brigado supera o beijo inocente. Beijo desculpado é a suprema carícia da língua.

BOATO

O homem aguenta uma bofetada de girar o rosto para a lateral como gandula de tênis. Uma crise de ciúme no meio da rua. Escapar do tranco de uma piada sobre sua coleção de latinhas de cerveja. Tolera ser furado no trânsito. Perder um jogo nos últimos minutos. Sufoca a raiva ao ser preterido no trabalho, e ainda tem sangue frio para cumprimentar o colega que roubou sua promoção.

Ele sairá de qualquer enrascada, menos de uma mentira feminina.

Não tem como, impossível reagir, jogue a toalha. O homem parece sempre que está mentindo. Ao nascer, não desfruta de chance para estragar sua reputação. Já é estragada.

Ubiratan foi vítima de uma das infalíveis fofocas. Descobriu que comeu a Adriana. Não comeu a Adriana, senão teria se lembrado. Adriana partilhou o falso segredo logo com sua irmã, que foi tirar satisfação do motivo de transar com sua amiga.

— Pô, sacanagem, né, Bira?
— Não comi a Adriana.

Mas falou rindo. E a irmã acreditou na Adriana, e não nele. E espalhou — para quem não ouviu a história — que seu irmão comeu descaradamente a Adriana e ainda quis enganá-la.

Mania masculina de dizer a verdade rindo. Cria suspeita de que ele não pode admitir e, portanto, recusa a acusação. Sua resposta foi zombateira, como um arroto de criança depois de Coca-Cola. As mulheres confiam que a mentira masculina é um hábito, não uma exceção.

O riso é um problema de escapamento viril. Há uma perturbação hormonal para colocar em sua conta qualquer trepada, real ou fictícia. Paga a rodada no escuro. Não reage com uma honestidade lacônica, taciturna. É atingido pelo convencimento, adoecido pela vaidade. Contorce sua expressão em sarcasmo.

— Imaginaaaa, euuuu?

Não percebe que dilatar as vogais é artifício manjado das atrizes pornôs e dos mentirosos. E a mulher conhece essa fraqueza do homem de nunca negar um caso e arma a maior confusão. Monta em suas costas.

Homem numera para cima no jogo de porrinha. Fracassa ao refutar que comeu uma mulher, com exceção do casado e com todas as provas ao contrário. Sexo para o macho não é difamação, é reconhecimento.

A vontade do Bira era a de extravasar que comeu a Adriana, mesmo que tenha sido um engano. Seduzido pela alegria da confusão. Privilegiou a fama — pois compreende que a verdade não acrescenta biografia.

Mais tarde, sensibilizado pelo reconhecimento precoce e investimento a prazo, Bira terminou trepando com a Adriana. Vacilou novamente em seu momento de remissão:

— Foi genial, a impressão é de que ela já me conhecia.

13º ANDAR

Quando não somos esquisitos, a vida nos devolve o mistério.
 Ela não nos deixa desligar nem um pouquinho, ou se acostumar com o que descobrimos da gente.

Estava hospedado no hotel ERON em Brasília. É ERON, mas não é. É também AIRAM. Ter dois nomes confunde, os taxistas é que gostam para prolongar contornos. A mitologia não para por aí. AIRAM é MARIA ao contrário. Mastiguei a teoria de uma paixão secreta do fundador do hotel, que inverteu o nome como quem faz um acróstico a uma amante.

Meu quarto era o 1013. Embaralhei os números e subi para o 1310. Encardi as pupilas: cadê o 13º? O prédio tinha 17 andares, e o tabuleiro luminoso do elevador não continha o 13º. Articulei a hipótese de que o fundador do hotel desfrutava de um ódio infinito ao Partido dos Trabalhadores.

Desci no 12º e fui procurar a escada. Não havia saída aos lados, porta corta-fogo. Um edifício sem escada é uma casa sem quintal. Nervoso, arranho minha mão esquerda com a direita. Abro dois sulcos para me sentir vivo. Entrei de novo no elevador. Conferi se não sofri alguma alucinação passageira (afinal, estava chovendo em Brasília), colei meu rosto nas teclas dos andares. Sem 13º mesmo. Temi aquelas lendas de pacto com o diabo e de filmes de terror, onde o hóspede nunca consegue abandonar o aposento, a porta fecha com trancas imaginárias e o frequentador é apedrejado intelectualmente por fantasmas e suicidas histéricos.

Retornei à portaria.

— Não, seu quarto é no 10º. 1013, senhor.
— E o 13º, onde está?
— Ele não existe, senhor.
— Quando desapareceu?
— Nunca existiu, senhor.
— É superstição?
— Não sei do que está falando, senhor.

Um andar inexistente é mais assustador do que o meu rosto assustado. Segui viagem. Desenhei a conclusão de que o fundador do hotel é místico e não admite a entrada de números azarados em sua construção, muito menos em sua rotina. Deve encharcar de corretivo os dias 13 do calendário. Não aceitará nenhum empregado que nasceu no dia 13. Não pagará o 13º salário por uma questão de princípios. Não marcará nenhum encontro às 13h. Escapará de qualquer numeração que resulte em treze, seja placa de carro, seja número de telefone. Seus filhos pulam de idade quando completam treze anos.

A confusão foi uma parábola, precisava disso; os mensageiros se encontram condensados nos canhotos das lembranças. Como ele, temos a impressão de que podemos suprimir um andar de nossa memória. Uma mulher que amamos loucamente, por exemplo, afirmando apenas que ela nunca existiu.

Ah, que pretensão. Apagar não é extinguir. Ela estará lá, mesmo quando não a chamamos. Sua ausência é mais curiosa do que sua proximidade.

Por mais que o hotel altere a elevação aos céus e a descida ao inferno, o 14º é o 13º.

Esquisitice total é ter mexido em meu bolso e conferir, já de volta, o número do quarto anotado pela atendente. 1310.

Ela se confundiu ou fugi de algum encontro com meu próprio destino.

SÓ O CÃO MANCO É FIEL

De manhãzinha, na Praça dos Brinquedos, uma jovem costuma ser seguida por um cão manco.

Não decifrei se o animal é dela ou um adorador de seu perfume. Ele vai atrás, o pelo negro reluzente, não ao lado, o que não me permite concluir sua ligação direta.

Mas o que posso constatar — sem conhecer patavina da história — é que um cão manco é muito mais fiel do que qualquer cão. Um cão manco é leal como Jó a Deus, como Caim a uma pedra, como Hamlet ao fantasma do pai. Atravessa o inferno com suas três patas. Sua dificuldade em andar eleva a sua escolha. O trotear mostra que não é um desejo à toa, baldio, é um desejo que vem de uma superação. Ele não segue porque simplesmente pode seguir, por curiosidade e instinto. Segue apesar da impossibilidade. Não está se mexendo naturalmente, mas revirando a boca em cada manobra. Equilibra seu corpo todo para um lado, com uma disciplina inaudita, escorando-se no vento, não sei bem como.

Não me dá pena, ele me irrita. Sua distorção o humaniza. É o oposto das minhas facilidades. A contrariedade que não se entrega. Além do hálito de coberta velha, exala uma confiança de quem suportou a tragédia — um atropelamento ou uma luta entre seus iguais — e não se diminuiu. Um vira-lata antes da amputação. Depois, a ferida desenhou nele uma árvore genealógica de guerreiros.

O cão manco estanca e me analisa. Não exige um afago e comida. Encara como se eu fosse uma rua desesperada. Perde comigo um tempo precioso da sua caravana. Serei seu esforço dobrado para emparelhar novamente os passos e alcançar a jovem. Aquele olhar franzino e minúsculo tem um custo. Não foi de graça. Está me desafiando. Por um instante, estamos misturados.

Homem que não tem um cão manco em si não será leal. Um homem sem dor nunca buscará uma mulher, seja onde for. Um homem que não chorou envergonhado, que não se questionou e não faliu não terá nada a caminhar, além do que se espera. Um homem que não percebe que as latas de tinta enferrujam e deixam marcas indeléveis nos azulejos não tem compaixão pelos ciscos. Um homem que não foi derrotado, que não assoou o nariz nas mangas da camisa, que não foi barbudo sequer um dia não seduz, aguarda em casa. Não tem pressa, não tem medo, não tem como participar da sinuosidade do pensamento feminino, que se contradiz para pedir ajuda.

É imbatível, não é homem ainda. É uma espera de homem. Vai descartar amores porque não suportou seu próprio abandono.

SABONETE LÍQUIDO

Sabonete tem sua graça. Sabonete rosa de oficina mecânica, com suas bordas preteadas. Sabonete de praia, arenoso, que serve igualmente como lixa aos pés. Sabonete de estrada, pontiagudo, casco duro, uma faca aquática. Sabonete de casa, sempre mole ao fundo da bacia, que atende aos princípios lúdicos da massa de modelar.

Derrubar sabonete num banheiro coletivo é um pânico masculino. Fundamentado, aliás.

Não há como se livrar dele. Quando frequentava o clube de natação, fui condenado a abandonar sabonetes no ralo. Se ele caía, não iria buscar.

O receio que escorregasse me induzia a apertar forte suas curvas. Daí que ele deslizava para nunca mais. Até porque voava longe. De propósito. Para magoar as fronteiras.

O que lavei lavei. Não me restava outra opção senão contar com o milagre terapêutico da água. Ou fazer com que o xampu terminasse o trabalho da lavagem pelo resto do corpo.

Agachar-se, de modo nenhum! Todo homem nu ao lado de outro homem nu é um traveco em potencial.

É uma posição incômoda. Pedir passagem e dobrar os joelhos com as pernas fechadas. Requer treinamento e nenhum erro logístico. Um simples tremor, e estalo dos ossos provocam uma comoção espírita. Desastroso enfrentar os olhares desconfiados e debochados de meus vizinhos. A honra sempre foi espumosa.

Eu confortava os colegas:

— Pode deixar, tudo bem, já me lavei.

Dava como perdido, para alívio geral da rapaziada. Não era o único. Um acordo implícito dominava os boxes.

A faxineira do clube não esclareceria o desperdício vultoso de sabonetes no ralo. No final do dia, cinco boiavam na grade branca. Inteiros, intactos, de diversas cores. Um santuário de sabonetes. Assim como beatas acendem velas na igreja, nós beatos, arremessávamos as oferendas a Nossa Senhora dos Navegantes. Em troca, a santa deve ter ficado perfumada com a preservação de nossas castidades.

Na ducha do futebol, prossigo com a sina. Quando acompanhado, sou tomado de um despojamento nirvânico dos produtos da higiene pessoal. Sou imensamente perdulário. Não resgato as peças perfumadas do azulejo. Vou legando rastros de meu medo.

Ainda prefiro correr riscos a empregar sabonete líquido.

O sabonete líquido é muito mais covarde. Afeiçoado às infusões, às infiltrações. Os dedos entram em contato direto com a pele. Sem mediações neutras. O sabonete líquido é o próprio homem violentando a si mesmo. Nem precisa se ajoelhar.

ÓRFÃO

O canalha tem um único rival na cama: o órfão.
Até diria que o órfão é o irmão caçula do canalha. Dissimulado, contido, um tipo que oferece trabalho porque seduz não seduzindo.

Hoje o órfão está em desvantagem, mas nem sempre foi assim. Já liderou o ranking das paixões e ainda mantém seu carisma de afogado, de pobre coitada vitória-régia no lago, isolada das alegrias da terra firme.

O órfão desperta o amor maternal da mulher. Ele atrai a mãe em cada mulher para conquistar a mulher. Exerce o que chamo de feitiço de sogra. Acorda a sogra que repousa na alma da filha.

Cria a simpatia pela convivência. Está sempre no pretérito, organizando amigo-secreto com as lembranças. Fomenta a dependência pelos conselhos. É o confidente que dá um golpe de estado para assumir a posição de amante.

Não é um homem decidido, firme, insolente, e de táticas diretas de linguagem.

Não fará musculação; seu aspecto franzino colabora com o mistério. Costuma ser magro, parece que precisa de um complemento para ser feliz.

É uma biblioteca na garagem. Usa óculos de leitura e emprega o beiço para disfarçar o silêncio.

Não se ouvirá uma única direta da boca do órfão. Ele é a indireta em pessoa. Não é um vendedor de sex shop como um canalha. Aparecerá sem algema, vulnerável, aberto para uma vida romântica.

Pontua um olhar encabulado. Banca o sofrido; bastardo dos relacionamentos. Uma autêntica virose de solidão. Caprichoso, comportado, um eremita que faz a barba.

As mulheres se apaixonam pela possibilidade de alegrá-lo. De salvá-lo do passado ressentido e complicado, das perdas e privações.

O órfão é tão carente que a mulher esquece suas carências. Não vai cobrar atitudes e definições como se comporta com um canalha.

O órfão é sempre o primeiro amor, mesmo que seja o último. Carregado de uma inocência perdida. Uma inocência recuperada.

O órfão é alguém que todos amam, tem uma levada metafísica de cachorro na neblina. De cavalo cansado. Tristeza de escadaria de igreja.

É impossível casar com ele, será adotado. Dura mais do que um canalha. Não há como a mulher se separar de um filho.

O VIÚVO

O viúvo completa o quadro de homens perigosos na arte da sedução.
Diferentemente dos seus colegas premeditados e conscientes de seus atos, ele exerce a atração sem querer. Por acidente. Por incumbência do destino.

Gostaria de estar casado, quieto em seu sofá, assistindo ao noticiário com uma xícara de sumiço. A vida é que não deixou e ele se viu solteiro de novo.

Ele não precisa preparar ofensivas, pontuar nas baladas e se armar com cantadas e frases cortantes. Sua existência tão-somente é uma chantagem emocional. Uma coroa de flores perfuma seu colarinho.

O excesso de perda em si desperta a sexualidade das dores. A dor é um afrodisíaco porque produz uma reação arrebatada do corpo. O viúvo cria o instinto de defesa pelo sexo. Cava a libido das situações desesperadas. Como um tuberculoso, o prazer aumenta com a proximidade do fim.

Seduz pela fatalidade. Não por uma escolha. Muito menos pelos atributos físicos e intelectuais. Pode ser feio, caolho e manco. Nada o livrará do magnetismo. O luto enobrece suas rugas e olheiras.

Ele irá conquistar, apesar dele. Será sempre desajeitado para reiniciar a batalha amorosa. Um comediante involuntário. Enquanto a maioria atua com superlativo e autoelogio na aproximação, ele se destrói. Chega a perguntar o motivo de ter sido escolhido. Não acredita, indica que é um engano, faz de tudo para provar que é sem graça. Quase pede desculpas ao beijar. Na verdade, pede desculpas ao beijar.

Desfruta de uma virtude insuperável para as futuras pretendentes: não tem ex-mulher. Conta com a possibilidade de mentir com exclusividade a respeito de seu próprio passado.

Ficou consigo o direito testamentário de oferecer a única versão ao relacionamento anterior. Não sofrerá o estresse do contraponto.

"Coitado" é seu sobrenome. Preserva o ideal de homem-perfeito, que ficou casado até o fim, sem fugir da raia e do sonho, mostrando-se leal na contrariedade e na doença. Cumpriu, como poucos, a exigência do padre no casamento.

A mulher cogita: "Se ele fez isso com a outra, fará comigo."

Seu silêncio é trágico, inclusive quando não é triste. Mostra pudor entre tanta exposição selvagem. Dorme de ceroula em seus pensamentos. Suas palavras são sofá-cama, meio sala, meio quarto; meio velha, meio criança.

Não falará do que viveu em nome do respeito. E isso é o que mais enrubesce o rosto feminino. O que não pode ser dito. O mistério do sofrimento. Afinal, qualquer um é mais sábio quieto.

Ao mesmo tempo, sua namorada se sentirá desafiada e loucamente desmoralizada. Competir com uma mulher morta é impossível. Não há como xingar, destratar, ofender, diminuir o amor anterior para se promover. A morte beatifica.

O viúvo é o coveiro da paixão. Ele se desenterra.

QUANDO DEIXAMOS DE IR

Não podia ajudá-la quando mais precisava.

Eu era seu número mais próximo, o mais discado. Foram dezenas de chamadas de madrugada. Concluí que poderia esperar para responder de manhã.

Significa que me sentirei sempre menor por não ter estado perto. Em falta. A caminho perpétuo entre o seu e o meu nome.

Baixarei a cabeça. Meus olhos serão servos da tinta branca das calçadas.

Acho que hoje me aproximo do remorso de um filho quando seu pai morre brigado com ele. Ou de um amigo que escolheu o orgulho ao invés de relevar as diferenças e amainar um pequeno ódio.

Perderei os acentos do teclado como se estivesse no exterior.

Significa que não é questão de perdão e de compreensão. É uma lacuna que sugará os gestos mais bem-intencionados.

Um sinal de nascença que não veio com o nascimento, mas tem uma antiguidade inviolável. Meus ouvidos crescerão no esquecimento e a boca vai diminuir.

Quando somos lembrados, não há desculpa para deixar de ir.

Não sairemos dessa impossibilidade de sair. Não encontraremos teoria para justificar a ausência. Não há explicações, álibis, fundamentos.

Correspondia a uma urgência, não era pressa.

Correspondia a um desespero, não era carência.

(Na segunda vez que visitei o túmulo de minha avó Eliza, reconheci hortelã próxima da lápide. Hortelã entre capim e inços, ao pé da cruz, espalhando seu perfume concentrado de chuva. Por um milagre que não é casualidade, ela mantinha sua horta no cemitério.)

Depois de morto, ainda levamos nossos princípios. Nosso corpo contamina os arredores com o temperamento cultivado em vida.

Não arranque a urtiga de minha lápide. Sou ela também.

O AMOR NO COLO

A dor não pede compreensão, pede respeito. Não abandonar a cadeira, ficar sentado na posição em que ela é mais aguda.

Vejo homens que não têm coragem de terminar o relacionamento. Que não esclarecem que acabou. Que deixam que os outros entendam o que desejam entender. Que preferem fugir do barraco e do abraço esmurrado. Saem de mansinho, explicando que é melhor assim: não falar nada, não explicar, acontece com todo mundo.

Encostam a porta de sua casa (não trancam) e partem para outra vida.

Não é melhor assim. Não tem como abafar os ruídos do choro. O corpo não é um travesseiro. Seca com os soluços.

Não é melhor assim. Haverá gritos, disputa, danos. É como beber um remédio, sem empurrar a colher para longe ou moldar cara feia. É engolir o gosto ruim da boca, o desgosto da falta do beijo.

Será idiota recitar Vinicius de Moraes: "que seja infinito enquanto dure." A despedida não é lugar para poesia.

Haverá uma estranha compaixão pelo passado, a língua recolhendo as lágrimas, o rosto pelo avesso. Haverá sua mulher batendo em seu peito, perguntando: "Por que fez isso comigo?"

Haverá a indignação como última esperança.

Haverá a hesitação entre consolar e brigar, entre devolver o corte e amparar.

Vejo homens que somente encontram força para seduzir uma mulher, não para se distanciar dela.

Para iniciar uma história não têm medo, não têm receio de falar.

Para encerrar, são evasivos, oblíquos, falsos. Mandam mensageiros.

Não recolhem seus pertences na hora. Voltarão um novo dia para buscar suas coisas.

Não toleram resolver o desespero e datar as lembranças. Guardam a risada histérica para o domingo longe dali.

Mas estar ali é o que o homem precisa. Não virar as costas. Fechar uma história é manter a dignidade de um rosto levantado, ouvindo o que não se quer escutar. Espantado com o que se tornou para aquela mulher que amava. Porque aquilo que ela diz também é verdade. Mesmo que seja desonesto.

Desgraçadamente, há mais desertores do que homens no mundo.

Deveriam olhar fora de si. Observar, por exemplo, a dor de uma mãe que perde seu filho no parto.

O médico colocará o filho morto no colo materno. É cruel e — ao mesmo tempo — necessário. Para que compreenda que ele morreu. Para que ela o veja e desista de procurá-lo. Para que ela perceba que os nove meses não foram invenção, que a gestação não foi loucura. Que o pequeno realmente existiu, que as contrações realmente existiram, que ela tentou trazê-lo à tona. Que possa se afastar da promessa de uma vida, imaginar seu cheiro e batizar seu rosto por um instante.

É a insuportável e delicada memória que teve um fim, não um final feliz. Ainda que a dor arrebente, ainda é melhor assim.

CHAMADA ENCONTRADA

É a mãe, eu e o meu celular descobrimos que é a minha mãe.

O celular, bem como a bina no telefone de casa, reduziu as esperanças das ligações. De imediato, agora desmascaramos a identidade. Não há aquela gostosa expectativa que coroava os interurbanos. Um toque e corria, curioso, para ver quem era. Hoje o trinido não me perturba, seleciono mais do que escuto. Os trotes não têm mais chances diante de excessiva transparência.

Atendo de supetão com o meu rosto coberto de creme de barbear e uma lâmina coçando os dedos. "O que será que aconteceu?", penso, desistindo da hipótese porque mãe procura os filhos principalmente quando não acontece nada. A pergunta certa materna é: "o que será que não aconteceu?"

A espuma vai secar e se converter numa máscara de cera, os traços começam a endurecer, expressões faciais de animal empalhado. Parece que estou fazendo um tratamento contra as espinhas.

A mãe não fala. Fala, apenas não é comigo. É uma voz movediça, irritada de barulhos. Procuro desesperado um retorno:
— Alô alô alô.

Ela conversa com uma amiga no carro. Mais uma vez me ligou sem querer. Não conhece as teclas de proteção do aparelho. Conhece, mas esquece de usá-las. O celular deve boiar na bolsa preta entre o espelhinho, estojo e talões. Uma lanterninha de cinema. Um pirilampo piscando debaixo dos papéis.

Já grito:
— Mãeeeeeeeee, tá me ouvindo?

Ela não escuta. Qualquer adulto normal desligaria, ciente do engano. Eu não sacrifico a indiscrição. Largo meus afazeres e fico ouvindo o trololó. É uma engraçada rádio-escuta, uma espionagem de graça.

De um modo masoquista, desejo que ela me xingue para envergonhá-la. Maldade de cobrar segredos. Uma linha acidental é uma possibilidade de flagrante. Vigio e fiscalizo as atitudes de minha mãe. Com a amiga, teimará em criticar um parente. Não escapará (ninguém escapa) de dar uma mordida em alguma reputação. Posso ser a vítima da vez.

Além dela, recebo chamadas vazias de amigos. E adoro telefonar de volta criando o pânico:
— Ficou uma hora detonando aquele cara, hein? Desculpa, não tive como não escutar a conversa...

O colega não percebe de quem estou falando, somente o que aconteceu, e quase chora pedindo perdão por aquilo que não tem certeza de que verbalizou. A culpa nasce somente com o castigo.

Eu não me excluo dos constrangimentos. Coitado do primeiro nome do catálogo de endereços do meu celular. É o

Ademar. O rapaz virou meu 190. Estetoscópio dos bolsos de minha calça. E não me recordo de onde o conheço. Anotei, nominei, perdi a referência.

Recebi um melancólico torpedo dele:

"Não sei quem você é, mas, por favor, pare de me telefonar. Minha mulher acredita que você é uma amante e que não o atendo de propósito. Recebi chamada às 4h e em todos os horários imagináveis. Obrigado."

CHICLETE

Eu masco um chiclete pelo gosto inicial. Chiclete explode sua doçura (e como é rápida!) e logo vem a preocupação de jogar fora.

Chiclete unicamente me deixa preocupado em procurar o lixo mais perto. Uma incomodação a mais em meu caminho.

Tem a efemeridade de uma bala. Assim que o açúcar se desmancha e o sabor acena da garganta, eu me desvencilho. Não esclareço minha passividade diante dele, o motivo de reincidir em comprar e aceitar ofertas de "quer um?" dos amigos.

Desde criança, a goma é uma penitência. Cansa-me, larga-me com um jeito abobado de gripe. Não sei desenhar bola no ar, propor malabarismo e qualquer outra encenação do sopro. Ele me diminui. Invejava os garotos da turma que o transformavam num ioiô da saliva. Um balanço. Bolhas perfeitas até serem sugadas de volta. "Olha o que eu consegui!", diziam. E olhava, treinava em casa, e o máximo que conseguia era formar um bigode rosa.

Enigma insolúvel da minha masculinidade: o chiclete. Além de me constranger, empurra-me a explorar obsessivamente os rostos das mulheres. Vidrar-me no queixo e nas bochechas delas, com aparência de criminoso sexual em condicional.

Falo das mulheres que permanecem horas com um chiclete. Com o mesmo chiclete. Elas me apaixonam. Assumo ânsias de dentista. Ânsias de apaixonado, a pedir um beijo somente para espiar a boca. Ânsias de aventureiro. Ânsias de manual, mapa. Ânsias de predador, prendedor.

Perco o destino quando vejo uma mulher dedicada a um chiclete (não lembro de homens mascando tanto tempo). Nublando os olhos pela música dos dentes.

Há de existir uma alquimia na longa digestão. Ou um curso preparatório, com apostilas vendidas na porta das tabacarias.

Essas mulheres não renovam a fragrância com um outro chiclete. Não trocam. Não largam. Conseguem sustentar a goma por um turno inteiro, mascando devagar, com uma sobriedade de passeio. Imutáveis, como modelos vivos de um pintor.

Tomam café com o chiclete. Almoçam com o chiclete. Transam com o chiclete. Não duvido que não escovem com o chiclete. Onde elas o escondem para que não seja contagiado pela corrente do dia e das refeições?

Onde elas o guardam? Debaixo da língua, com a nobreza de uma aspirina? Grudado no céu da boca? Nos lados? Há calçadas brancas para que eles fiquem caminhando sem desviar dos carros?

Eu pergunto, pergunto, e não me contento. Se um chiclete dura uma eternidade, o que elas são capazes de fazer por um homem?

CORTAR O PULSO COM BOLACHA MARIA

Reencontrei um colega do Ensino Fundamental numa loja de CDs. Eu catando rock, ele revirando a seção dos sertanejos.

Como nas conversas com velhos conhecidos, não falamos nada, balbuciamos; primeiro, o pânico de lembrar quem é esse sujeito tateando às escuras o endereço das palavras; depois, o desafio rigoroso de manter cinco minutos de assunto, já que — entre nós — passa uma hidrelétrica de informação de vinte e cinco anos. Trabalhoso elaborar uma sinopse do filme de nossa vida.

O que eu diria sobre mim?

"Jovem esforçado torna-se poeta depois de trabalhar como jornalista, casa, descasa, tem dois filhos, usa macacão na adolescência, muda para ternos escuros e, estranhamente, passa a se vestir como um emo careca."

Alguém assistiria? Não precisa responder.

O silêncio é a estratégia de sucesso. O passado é como uma ex-namorada. Mente-se, procurando convencer que estamos realizados profissionalmente, financeiramente, amorosamente, esportivamente.

Duvido que alguém se aproxime de um antigo amigo e diga:

— Minha vida está uma merda. Deu tudo errado...

Honestidade não faz sala para a nostalgia.

O que me prenderá durante lapsos de tempo na frente do camarada é a frase "tem visto o fulano ou a sicrana?". Sim, repassamos a lista de chamada da turma. Com a fé de que algum nome possa produzir fofoca e maledicência.

E surgiu o estalo luminoso com Cinara.

— Cinara? — eu disse. Aquela gostosa, que usava jeans apertado, toda classe queria ficar com ela? Linda, cheirosa. Como ela está?

Ele rebate, cabisbaixo:

— Casei com ela.

— Desculpa, não quis ofender, tá? — ensaiei uma despedida à jamaicana, com os braços para cima, girando o tronco.

Mergulhei numa absurda inveja do Manoel, vulgo Ruivo (agora recordei o nome e o apelido dele). "O cara levou para cama a Cinara... Ele era tímido pacas, retraído, como pode?", pensei.

Para desfazer a grosseria, logo uma mulher se aproxima dele e me observa com espantada intimidade, redimensionando as apertadas estantes num saguão de aeroporto:

— Fabrício? Fabrício? Não acredito....

Se o Manoel não me apresentasse, eu não saberia quem era:

— Essa é a Cinara, lembra?

— Cinara? Cinara? Não consegui transformar o ponto de interrogação em exclamação, perguntava a Cinara se era a própria Cinara, tentando desfazer a assombração labial.

Porque Cinara não era mais a Cinara, mas uma couve-flor gigantesca. Corada, robusta. As bochechas escondiam as orelhas.

Enorme (não fofinha como gosto), dona de uma obesidade mórbida.

Desde então, não alcanço a mágica da infância: as meninas gostosas se transformam em barangas, e as feias, bem, as feias, eu deveria ter ficado com elas. Seria um baita investimento.

TARADO

Os homens não confessam, já paguei mico ao abrir a boca, sem nenhuma solidariedade na bandeja do garçom, nenhum sim, sins dos colegas de trago. É evidente que suas namoradas estavam na mesa, apavoradas com a revelação. Fiquei sozinho com a minha opiniãozinha, sozinho com o meu bigode de chope. Um trapo de voz. Um tarado.

Antecipo também que é machista, tentei me censurar, educar o corpo, reprimir o condicionamento, recorrer a um acompanhamento médico, mas não adiantou. Sofro com as minhas imperfeições quando não gozo com elas.

Tenho compulsão por poses domésticas. Duvido que meus semelhantes não possuam sinais em desenvolvimento dessa predestinação caseira. Vivo o estado terminal do arrepio.

Mulher esfregando o piso, ai, não é bom descrever. Engatinhando com a escovinha, em movimentos repetitivos e lúbricos. Como se ninguém estivesse reparando nela. Com a soberania da solidão, os lábios se mexendo com vagar, cantarolando bem baixinho uma música. Ainda não aprendeu direito a letra e preenche os espaços com o assobio refinado da melodia.

Ansiosa para terminar aquela obrigação. Balançando devagar o balde, a produzir um preciso soco de água no solo. O vaivém do quadril, a espuma amanteigando os azulejos. As panturrilhas com os músculos retesados, escamas firmes, como peixes apanhando o sol na superfície.

Ou no momento em que ela estica suas pernas na árvore das vidraças, encerando o brilho das alturas. A calcinha aparecendo por engano, pelas sobras de vento das cortinas. A bundinha levantada. Largaria qualquer urgência para mergulhar em suas coxas de leve suor.

Sou viciado na sensualidade desarmada, que é mais distração do que oferta. O sopro ingênuo que esconde a impetuosidade da malícia.

Não posso enxergar mulher cozinhando, que a abraço de costas e beijo meus beijos em seu pescoço. Um beijo ensimesmado de orvalho.

Faço vista grossa para a fumaceira, se a comida pode queimar, passar do ponto. Esqueço a pontualidade do preparo, a harmonia provisória dos temperos.

Não me dou conta de que meu casaco encosta perigosamente nas bocas do fogão. A obsessão não recua, é egoísta, primogênita do pesadelo.

Vou contornando as linhas das costas com a língua até que ela grite "chega, não é hora", ou me retribua a invasão com um golpe defensivo dos pés.

Encaixo minhas pernas nas pernas dela e entrego o volume das calças. O desejo diabólico é arrastar a toalha com os pratos para longe, desprezando o cuidado com a porcelana e fulminar uma trepada de cento e vinte por hora.

O homem é burro. Grosseiro porque burro. Suas fantasias o emburrecem. Uma burrice pura, de criança crescendo de noite.

Ele entende tudo errado, raciocina que ela está gostando, que sua resistência é um modo de atiçar seus avanços. Mas sua mulher quer a tranquilidade da colher de pau. Nada mais. Odeia sujeito que decide ser carinhoso quando ela não está disponível, logo agora que não tem como reagir. Assimila como afronta e desrespeito (por que ele não a procurou de manhã, na saída do banho?).

Não sei o que fazer comigo. A faxina de casa é meu bordel.

CURIOSIDADE SELVAGEM

Quando perdi a virgindade, não cansava de cheirar minhas mãos.
Como uma criança quando inspeciona as mangas da camisa. Uma curiosidade selvagem.

Nas mãos, a fotografia da minha virilidade. Nas mãos, a umidade derramada da fruta que acabara de descobrir. O derrame da fruta. Um cheiro que pedia que nunca mais a lavasse. Que colocasse minha saúde em risco, se fosse o caso.

As mãos que foram devassas, que gostariam de tomar banho seco a partir de agora, como os passarinhos na terra fofa da praça.

Eu me embriagava com os dedos. Os dedos que tocaram o escuro mais claro de minha vida.

Na fileira alta do fim, o rosto deitado na vidraça, aos solavancos das curvas, poucos passageiros noturnos, o motorista louco para terminar sua última corrida e garfar um prato quente em sua casa, e eu envolvido com a textura da pele, envaidecido de ser homem. Não dormiria até a minha parada. A mão imperiosamente me acordava ao coçar a barba. A mão era um ônibus sem cobrador.

Uma mão que não poderia retornar ao seu serviço. Uma mão que não era mais útil, mas estranha e poética, como o esboço em giz que seria depois coberto pela tinta a óleo.

Não era mais uma mão para acenar. Uma mão para cumprimentar e dar boas-vindas. Uma mão para apartar brigas, apertar copos. Uma mão para esconder no bolso. Não fazia questão de segurar uma caneta e desperdiçar seu vigor. Uma mão que não tocaria as cordas de um violão com o mesmo gosto. Que não abriria as janelas com o mesmo deslumbramento. Que seria banal e entediada nas festas de que tanto gostava, que largaria os talheres mais cedo nos almoços de família. Uma mão exigente, viciada, dependente de outro sorvo.

Um segredo, uma maldição na mão, que a condicionava a crescer e se despedir de antigos deleites.

Uma mão egoísta, egoísta, egoísta.

A mão não seria mais jovem a partir daquele momento. Suas veias dilatadas pela extinção da inocência. Destinada a envelhecer mais rápido, a desdenhar do sofrimento.

Uma mão febril, indisposta ao quique da bola e à arruaça dos amigos pelo jogo.

Cuidava para que ninguém me olhasse e cheirava novamente. Minha cola de sapateiro. Meu loló. Meu blusão de unhas embebido de pomar e neblina. Inspirava fundo, enchia o pulmão, sem me preocupar em perder a consciência.

O cheiro do sexo dela.

Toda nudez de uma mulher ainda estava deitada no dorso da mão.

LIVREMENTE

Esperava o sol na casa de meu irmão Miguel em São Sepé, cidadezinha acolhedora de 25 mil habitantes no centro do RS. Nos fundos do seu quintal, sentei numa pedra enorme, esquecida por um guindaste ou um dinossauro Contornava com a boca o caroço da maçã. Raspava as reentrâncias, brincando em mordiscar a semente com a língua.

Os pássaros davam cambalhotas e perseguiam o que parecia ser, no primeiro momento, uma borboleta negra, uma bruxa, mas logo se mostrou um morcego. Espantoso: aves e morcegos convivendo como amigos de jardim, colegas da escola do cisco. Dia e noite entrosados, escuro e luz criando cumplicidade dos galhos e correndo na madrugada ainda sombria. Esguichos e piares se tocavam e se ajudavam na escada das sombras. O flamboyant meditava ao meu lado, com as raízes expostas (ou seriam pernas dobradas?). Não duvido que a árvore estivesse abrindo suas coxas de propósito.

Espantoso mesmo era um córrego que descia a lomba do pátio. Demorei a definir sua natureza. Um filete protegido por tijolos, que cortava o terreno na diagonal e sumia pelas frestas do muro. Um barulho de calha no chão, suave e despretensioso.

— Miguel, você tem um córrego?

— Não, é da cidade — respondeu e mudou de assunto.

A corrente seguia para o vizinho adiante que migrava ao vizinho seguinte e atravessava a rua José Cândido Ferreira. Um ziguezague estranho e encantador, não parando em poços artesianos. Ninguém impediu o córrego de completar o passeio pelo morro. As casas foram construídas sem modificar seu desenho sinuoso.

Ele atravessa paredes e escarpas com suas pernas de vento. Nenhum dos moradores se projetou dono do córrego e o amarrou à sua residência. Respeitam sua vontade. Não o domesticaram, não o reduziram a um cão numa coleira. Não o balearam como invasor, não atiraram em suas costas, não discutiram sua guarda na Justiça. Não interromperam o corredor de ervas e cascalhos, não cercaram o tombo da água. Deixam-no ir, desimpedindo o caminho. Recebe uma preferência de pedestre, uma licença de gestante.

Se fosse numa outra cidade, alguém declararia que o córrego é seu. Em São Sepé, ele é de ninguém. Um animal sussurrante, misturando-se à grama e ao barro, serpeando para se avolumar lá longe numa cascata.

Os habitantes não diminuem o valor daquilo que não enxergam. Ter é deixar ir.

O córrego não cansa de voltar.

ENGOLIR OU CUSPIR?

Havia cinco anos que não ia ao dentista.
Não por medo. Algo parecido com medo.
Na verdade, havia oito anos que não ia ao dentista.
Eu coloquei um aparelho na adolescência, usei durante todo o Ensino Médio para minha dentista concluir que não tinha dado certo. Vontade de pedir o estorno dos namoros, das palavras engasgadas, do bruxismo na hora de apresentar os trabalhos de classe. Quanta vida desperdiçada e a dentição ainda torta.

Havia doze anos que não ia ao dentista. Mais não posso admitir. Atingi o grau máximo de relaxamento. Acho que foram quinze, ficamos com doze para ninguém me odiar.

Marquei uma limpeza de dentes. Quase desmarquei, mas não surgiu nenhum compromisso naquela hora da manhã.

Entrei no consultório tremendo de pânico. Pânico não, curiosidade, é mais bagual.

A dentista era jovem, bonita, descolada. Lavara os cabelos há pouco, sua torrente cacheada banhava minha respiração como abajur de leitura.

— Senta, Fabrício.

Determinada também, mandando com suavidade.

Abri a boca, tímido, ela segurou meu queixo para que abrisse mais. Escancarei a boca a contragosto. Ela observou longamente, eu com vergonha do que encontraria ali, pedindo desculpas pelas imagens inesquecíveis que ofereceria da minha gengiva e que talvez encerrasse sua promissora carreira com trauma e crise de identidade.

Já sofro vergonha de médico espiando a garganta com a luzinha. Dentista, então, é um estupro, raspando com sua espátula, fincando o aparelho nas extremidades e nas linhas divisórias dos dentes. Não é dor, é invasão de quarto, suportar uma testemunha de minha bagunça, entrando sem bater onde não esperava.

— Nossa, você não tem nenhuma cárie!

Quando ela proferiu seu parecer, entrei num choque eufórico. Vi o quanto era aplicado, escovando quatro vezes ao dia. Atacado por uma sinceridade de igreja, logo contei:

— Isso que faz dezoito anos que não vou ao dentista.

Ela continuou:

— Uma beleza, é uma beleza, nunca encontrei isso.

De um estado calmo e delicado, notei que repentinamente se excitou. Mexia-se vagarosamente na cadeira, acomodando uma almofada invisível, procurando a angulação apropriada.

—Tártaro: paredes de tártaro: vou destruir tudo. Adoro tártaro.

Entendi, vacilante, um viva ou um urra ou um yes, uma exclamação incompreensível, rápida demais.

Armada do espelhinho, foi raspando, destrinchando. Agora eu armazenava pavor.

Ela estava possuída, ensandecida de felicidade.

Apenas atendia suas ordens. Ela gritava duas expressões sem parar, numa escala cada vez mais alta:

— Cospe! Mais um pouco!

— Cospe! Mais um pouco!

— Cospe! Mais um pouco!

Dez minutos cuspindo e mais um pouco.

Ao deixar a sala, cruzei com seu próximo paciente e decifrei perfeitamente sua mirada carente, assustada e perplexa depois daquilo que ouviu das finas divisórias de madeira.

O QUE SONHEI SER E NÃO FUI

Aos sete anos, projetava que minha vida estaria resolvida aos 37. Administraria somente a felicidade. Dei o prazo de três décadas para não me preocupar. Talvez o paraíso naquela época fosse cabular temas, não ir à escola, muito menos ser submetido às provas. Não mirabolava encargos, superações e dificuldades. Até porque a vida adulta é distante, uma velhice para criança.

Recordo a atmosfera do que imaginava. A sensação de alívio do futuro. A felicidade seria estável e permanente. Era uma fórmula que deveria encontrar e adotá-la no restante dos dias. Algo como a receita de galinha recheada da avó. Uma vez feito o prato, ele se repetiria eternamente.

Não enxergava o estado provisório e fugaz do sentimento, um clarão que nos ajuda a suportar depois o escuro. Hoje entendo que a felicidade é rara, relampeia, olhamos onde estão nossas coisas e seguimos tateando com mais facilidade.

Não sou sinônimo de sucesso. Moro provisoriamente na residência materna, tenho duas separações, sequer possuo algum imóvel. Deixei duas vidas, duas casas, tudo que construí e acumulei ficou para trás. Caso não tivesse me divorciado, estaria confortável e poderia investir na Bolsa de Valores. Guardo a biblioteca em centenas de caixas na garagem, não há como consultar os livros. Os rendimentos são subjetivos, provados pelos extratos bancários.

Mas não pretendo ser diferente, não entrarei no apartamento de amigos ricos e fingirei igualdade. Não peço emprestados outros mundos para aliviar o meu. Estou contaminado das manias para mudar

Apesar da fragilidade, não me coloco como um coitado, uma vítima de decisões erradas. A cada mês, sou obrigado a inventar um salário. É assustador e delicioso. Eu perco meu emprego todos os dias. Enviúvo compromissos e caso com expectativas. A rotina não é interrompida por finais de semana. Domingo e terça-feira são iguais. Não me formei em medicina para justificar plantões, ocupo a família com minhas desocupações.

Espumo águas paradas. Qualquer desastre não é trágico. Qualquer desmemória não é o fim. Sou rápido o suficiente para me digitar de novo. Desde o início. Não desmereço as frases porque já foram escritas.

Os filhos não se acostumaram com a atmosfera instável, acham que sofro à toa e que me alegro ainda mais à toa. A namorada tenta esclarecer as extravagâncias. Na casa dela, não consigo relaxar. Passo aspirador, lustro mesas, lavo a louça e dobro as roupas para brincar que é minha casa. Ela enlouquece, mas sua ternura atrapalha a raiva. Sinto saudade de varrer a rua. Saudade não é arrependimento.

Há gente que se gaba em dizer que cumpriu o sonho dos sete anos. Seguiram à risca a ambição de pequenos.

Eu fico com dó da coerência. Desse jogador de futebol que não admitiu a confusão vocacional. Dessa bailarina que não desobedeceu ao contexto. Desse cantor que não reparou na encruzilhada.

Nossa cultura valoriza demais o planejamento. Como se a linha reta fosse uma virtude.

Eu não fui o que minha infância traçou. Aquilo era fantasia. O que sei fazer é recomeçar e frustrar condicionamentos.

Para um escritor, seria uma enorme falta de criatividade ser o que imaginei quando criança.

TOQUE

Masturbação feminina é inconciliável com a masculina. Se a senhora tem alguma dúvida sobre orgasmo múltiplo, não pode negar seu inegável talento para a excitação prolongada. Não diga que é natural, não humilhe seu parceiro, tampouco menospreze o dom. O homem não conhece esse controle remoto do corpo.

A mulher é bem capaz de se masturbar no chuveiro, transar no quarto, e não haverá nenhuma diminuição do ritmo. Sua nudez é insaciável. Assim como demora mais para se excitar, demora muito mais para abandonar a excitação. O homem facilmente se prontifica, porém larga a atmosfera com enorme rapidez.

O orgasmo liquida o homem e reinventa a mulher. Virtude de um, defeito do outro.

A fêmea ama na volta (o homem somente ama na ida). Não negará o sexo, mesmo que tenha se violentado secretamente. Ficará inflamada. Desejosa. Sequiosa.

Sua libido é narração. Pretende continuar com a fantasia, aumentar a trama, propor encruzilhadas.

Caso seu parceiro peça e mereça (as duas operações são complementares), ainda que já tenha gozado sozinha, seguirá adiante, procurando ir além do gemido. Os braços masculinos serão a continuidade dos seus dedos.

Tanto que o homem é tarado antes do ato; a mulher é tarada depois dele.

Levando o fôlego como parâmetro, mulher na cama é romancista; homem é poeta, isso quando ele não inventa de fazer haicais.

A excitação dos machos é monotemática. Até hoje supõe que bater uma é anular a chance de sexo no dia. Sua masturbação não é um aperitivo, uma preliminar, mas a aceitação do fracasso. É como um desabafo, algo como não deu para aguentar.

Nenhum adulto confessa com orgulho para sua namorada ou esposa: bati uma punheta. Tem receio de receber um olhar piedoso, de Seguro-Desemprego.

A fase adulta traz a necessidade da transa para ser feliz. Superada a adolescência, o homem se masturba a contragosto. Lamentando que não tenha um resultado melhor. Provável que isso demarque toda a sua conduta psicológica. Vive a resignação, uma espécie de solidão indesejada. Acha que se tocar é o deserto da agenda, a absoluta falta de aventura, um sinal de rejeição, que ninguém o quer, nem ele.

Na hipótese de se masturbar e transar no mesmo turno, sofrerá de retardo mental. Sem pressa alguma. Sem volúpia. Com dificuldade de concentração. Seu objetivo é um só: gozar de novo. Não é de continuar gozando. Pensa que traiu sua companhia com a ejaculação solitária.

É um processo semelhante quando escolhemos uma música como aviso de chamada do celular. Nunca mais teremos condições de apreciá-la, apesar de ser a nossa balada favorita. Os ringtones matam a leveza imaginária da canção. O toque lembrará agora trabalho, prazo, incomodação, urgência. Ao ouvir os acordes no rádio, mergulharemos no terror, tentando localizar o aparelho.

O que me faz crer que a punheta do homem é seu ringtone do sexo.

PROFANAÇÃO

Eu fui criado numa cozinha, com a coriza das panelas e o chamego da fumaça nos cabelos.

Entro em restaurante para fazer amigos. Já querendo conhecer o fogão. Com a esperança de chamar o garçom pelo nome, desejando que ele recite meu prato de cor antes mesmo que aponte o dedo e abra o cardápio. Quando gosto, repetirei a escolha. Demoro a enjoar. O azar é que posso permanecer num pedido por anos, sem cogitar outras vizinhanças.

Beijarei a cozinheira para agradecer um benfazejo, beijarei o chef pela alquimia de temperos. Serei dado, espantosamente sorridente.

Não vou para comer, vou para conviver. Restaurante é onde abro as guardas e falo bobagens mais do que costumo escrever aqui. Não há um lugar que me sinta mais à vontade do que no balcão de um bar aguardando uma mesa vaga. Um homem com fome é sincero como nunca antes.

Se me apaixono por um restaurante, prometo boca a boca, megafone, gritaria. Improvisarei na tolha um QG de minhas batalhas emocionais, com manchas de vinho e farelos de rolha. Serei fiel até que a azia me separe.

Minha facilidade em ampliar a família provoca embaraços. Desilusões. Não poderia ser permitida a profanação de lugares afetivos.

Não foi uma, mas várias vezes em que levei colegas para um restaurante de minha preferência. Para apresentar uma anunciação com hora marcada. Convertê-los a uma seita. Presumia que lamberiam os beiços e me agradeceriam com canto gregoriano. Suspirando e gemendo em louvor.

É deprimente quando a alegria não se renova. Com a visita, a comida nem chega perto daquele que provamos um dia. No final, parece que sou exagerado, louco de pedra, extravagante.

Convenci Marcelino a comer um tortéi com molho de panela em Porto Alegre. Não contive a ansiedade. Nem me servi para assisti-lo. Espalhou o guisadinho como quem pretende alargar a dimensão da porcelana. Ele engoliu uma massa recheada de moranga, duas, e nenhum sinal de contentamento.

— Bom, Marcelino?

— É, bom...

Não, não ambicionava que fosse bom, e sim divino.

Impraticável viver um milagre sozinho, milagre é para ser repartido, exige testemunhas para virar fofoca. Um milagre sozinho é dor guardada. Eu me tornei o dono do restaurante tentando agradar um crítico do *Guia Quatro Rodas*. Subserviente, babaca, atrapalhado.

Marcelino ocupou-se de conversa, esqueceu o local, não repetiu a porção. Estava realmente apática. Longe daquela que me hipnotizou.

Tenho certeza de que dali por diante prosseguiu a amizade comigo por absoluta generosidade.

ALVO

Que coisa triste é comer pipoca e inventar de falar logo em seguida, sem nenhum cuidado. Abrir a boca, como um animal de zoológico bocejando, como um tenor voltando do fôlego de sua ópera. Não, não estou falando da arte pós-moderna da arcada, que estará intragavelmente cromática.

Abrir a boca e cuspir um farelo na direção de quem nos escuta. E reconhecer que o farelo ficou preso no santuário da camisa, ainda mais se for de uma mulher que estava interessada em suas palavras.

Não alcancei o que é mais trágico na cena: fingir que não aconteceu e dissimular com um riso, ou tentar limpar, para que ela também aceite e recorde que é nojento.

Todo homem, um dia, será cuspidor de farelo mais do que cuspidor de fogo. E nunca estaremos prontos para resolver o constrangimento.

Pode ser ainda um relâmpago de saliva, no mais completo jejum. No meio da exposição da nova campanha de marca de sua empresa, quando eufórico com o discurso decorado, quando convencendo até as janelas de suas estratégias, solta uma gota de seus lábios que cairá com sabedoria na gola do diretor. Um pingente em seu terno. Um broche da escatologia. Olhando bem, é possível que brilhe. Como um visor recebendo luz.

Não existe maneira de interromper a apresentação, escovar o linho com as costas da mão e reivindicar perdão pelo chuvisco involuntário. O chefe terá uma certeza daqui por diante: você até é competente, mas também é babão.

É como barulho de estômago: não guardamos a certeza de que os outros não estão ouvindo.

Superei fiascos ao longo da vida. Mas sempre me supero.

Almoçava com um grupo de amigos. Papo animado sobre futebol. Treino a sincronia de meus talheres, o que sempre ocorre em restaurante novo. Levanto o rosto para escutar com interesse o interlocutor à frente. Ele articula seu queixo como um domador de palpites, rápido, descendo os parágrafos.

Inesperadamente, ele se exalta e solta um farelo em minha direção. Sou seu alvo. Câmera lenta somente na lembrança, naquele instante não tive escapatória. E não foi na gola, na camisa, nos ombros. Foi na minha boca. Minha boca estava aberta. Engoli a sobra daquele senhor simpático, em nosso primeiro encontro. Ele pediu desculpa e todos me olharam, vi que viram, pela gargalhada fina de gaita.

Restou responder:

— Humm, que delícia, o que é isso que está comendo?

Há momentos que somente o humor cura a vergonha indigesta.

MISTERIOSAS GUIMBAS

A noite é bastarda para quem dorme cedo.
O velhinho catava guimbas na frente de uma padaria paulista 24h. Já sonso pela luz dos faróis. O terno rasgado e uma gravata fatiada de musgo. A barba escolada de insetos. O boné de algum vereador cassado. Os círculos repetidos de uma obsessão. Ele era o que fazia, mais do que um passado ou mesmo um futuro.

Da mesa da padaria envidraçada, observava sua coleta insaciável. Um legítimo maltrapilho, cogitava, não um mendigo. Maltrapilho é o que não pede esmola.

Ele pegava o filtro, aproximava do olho esquerdo e jogava de novo fora.

Recolhia e recusava o que encontrava. Arrastava sua mão ao chão, subia o guindaste das unhas e descia de novo. Não cessava o movimento de permanente recusa.

Quando deixei o local, me aproximei e ofereci um cigarro. Um cigarro inteiro. Ele vai aceitar, me agradecer e levantar o espanto benfazejo da fumaça ao céu escuro.

Fracasso ao reproduzir sua careta quando abri o maço. Ele esticou o queixo como um estilingue. A pedra da boca voou.

— Não, não quero.

—Toma, é seu.

— Não quero, senhor.

Eu me isolei, sua negativa foi como uma ofensa moral. Aproximei-me da parede para não atrapalhá-lo.

Espanava o meio-fio com as mangas. Não fedia ainda, apesar das estrelas paradas.

Por dez minutos, não mudou a ordem de sua operação; apanhava e largava, apanhava e largava. Até que se encantou por uma baganha. Não localizei nenhuma diferença das demais refugadas. Levantou o ombro, tomou uma caixinha de fósforos e acendeu vigoroso o toco. Sentou um instante, dobrando seu paletó como almofada.

Se estava imundo, não fazia lógica não sujar a calça. Mas ele fumava agora como alguém tolerando o atraso da namorada. Mudou sua feição. Mudou seu estado civil.

Não agia como um desocupado, gozava de todo o tempo do mundo para propor negócio.

Esperei que ele descartasse a chama e fosse embora. Demorou a fazer, apertando suas tragadas lentas, assobiando o filtro. Chupava o gosto de alcatrão, o osso da névoa.

Recolhi seu cigarro, intrigando talvez outro cliente da padaria envidraçada.

Reparei apenas numa mancha de batom. "Apenas" porque não tenho fé.

Ele fumava as mulheres.

BANDEIRA?

O telefone de Manuel Bandeira é (21) 22-0832. Desde outubro de 1968. Anote aí.
Não sei se ligo hoje. Desejo mandar meus livros para ele. Selecionar um papel colorido. Armar um pacote com corda. Curtir minha ambição. Como quem esfrega com a língua os lábios para então mudar de palavras.
Rituais servem para desejar algo antes de fazer. Rituais são a reza dos ateus.
Vá que ele responda, é a consagração. Agora ele tem mais tempo para ler. Mais tempo, bem mais tempo, com as três mulheres do Araxá ensaboando sua nuca.
Como é boa a esperança de ser lido por quem leio.
Já tenho o endereço: Av. Beira Mar, 406 apartamento 806 (Castelo). Não me atreverei a bater em sua porta. Telefone é defensivo, não importuna, não implica em café e nos trabalhos adicionais de perguntar se irá açúcar ou adoçante. Longe sobrecarregar o autor com preocupações à toa.
Por gentileza, avisarei da encomenda. Precaução. Para não ficar como mais um escritor em sua mesa parada há quarenta anos.

— Oi, gostaria de falar com Manuel Bandeira.
— O que gostaria com ele?
— Conversar.
— Sou eu. Quem está falando?

Vixe, não consigo. Desligaria no ato, com sopro no coração. Não estaria preparado para que o próprio poeta atendesse, careceria de um intervalo de alguém o chamando para me restabelecer e articular uma frase inteligente. Que ideia a de pensar que poeta contaria com uma empregada. Ele pegaria de primeira a ligação e ouviria a continência de sua voz, com um eco só possível em sepulcro ou motel. Aliás, aconselho a não atender ligação em motel — todos descobrem onde estamos.

O que contaria? Da vida inteira que poderia ter sido e não foi. Que sou admirador de sua poesia e que nasci quatro anos depois de sua morte. Ele me confundiria com uma lagartixa listrada. Entocado na respiração, eu retardaria as vogais.

"Aaaaaa..."

A conversa seria um concurso de soletração. Ele bateria o gancho, para não facilitar trotes. Mesmo quem está na eternidade não suporta trotes.

Aliso o número telefônico de Bandeira. Vou ligar, adquiri o número nesta manhã, um pouco tarde, mas que me importa? Sou um homem sem orgulho, um homem que aceita tudo.

Não esperava que o telefone estivesse sempre ocupado.

IMPOSSÍVEL

Homem não gosta de mulher que insiste com recados consecutivos, mas também não gosta de mulher que não telefona.

Mulher não gosta de homem que a persegue, mas também não gosta de homem que não a procura.

Homem não gosta de mulher fácil, mas também não gosta de mulher difícil.

Mulher não gosta de homem doce, mas também não gosta de homem rude.

Homem não gosta de mulher que fica com muitos, mas também não gosta de encalhada.

Mulher não gosta de mulherengo, mas também não gosta de travado.

Homem não gosta de ser questionado, mas também não gosta de ser esquecido.

Mulher não gosta de ser contrariada, mas também não gosta de gente passiva.

Homem não gosta de estardalhaço, mas não adia uma bagunça.

Mulher gosta de estardalhaço, desde que não vire bagunça.

Homem não gosta de ser debochado, mas também não suporta ser levado sempre a sério.

Mulher não gosta de brincadeiras sem graça, mas não admite a ausência de brincadeiras.

Homem não gosta de fofoca, mas é o primeiro a contar as novidades aos amigos.

Mulher gosta de fofoca, mas deseja preservar sua privacidade.

Homem não gosta de jantar na casa da sogra, mas também precisa dela.

Mulher não gosta de ser comparada com as antigas namoradas, mas também quer saber todos os detalhes.

Homem não gosta de ser surpreendido, mas também não gosta de saber antes.

Mulher gosta de um mistério, mas com aviso prévio.

Homem não gosta de comprar lingerie, mas também é o primeiro a criticar a que ela está usando.

Mulher ama comprar lingerie, mas também é a primeira a dizer que a incomoda.

Mulher prefere calcinha bege, não aparece com a roupa.

Homem abomina calcinha bege, aparece demais quando ela tira a roupa.

Homem não gosta de discutir relacionamento, mas também não gosta do silêncio.

Mulher gosta de discutir relacionamento, mas odeia chorar no meio da briga.

Homem não tolera filmes românticos, mas não desliga quando reprisados na tevê.

Mulher não tolera filmes de ação, mas também é um alívio não pensar muito.

Homem tem dificuldades para se declarar, mas faz o impossível para ser denunciado.

Mulher espera declarações, mas não quando está se arrumando.

Homem reclama dos atrasos, mas também detesta quem chega antes.

Mulher odeia a impaciência do homem, mas também se enerva com a letargia.

Homem não resiste a um videogame, mas também não deseja ser chamado de criança.

Mulher abusa dos diminutivos, mas também diz que cresceu.

Homem pede desculpa quando machuca, mas não aceita desculpa quando machucado.

Mulher se desculpa antes de errar, depois não se lembra.

Mulher desvia o assunto quando se desinteressa, mas não gosta que não prestem atenção nela.

Homem não gosta de ser interrompido, mas vive interrompendo.

Homem não gosta de unhas vermelhas, mas fica excitado com elas num filme pornô.

Mulher gosta de unhas vermelhas porque detesta filme pornô.

Mulher anseia pelas flores, mas nunca tem um vaso para colocá-las.

Homem gosta de mandar flores, mas desiste na hora de escrever o cartão.

E ambos não gostam do meio-termo.

QUANDO VOCÊ RECOLHEU MEU CORPO

Sabe quando eu senti que poderia ser seu?
Talvez nem recorde, não faça importância, pode parecer mais um tolice.

Na primeira vez em que dormimos juntos, depois da nudez esfriar, você esqueceu suas roupas no sofá e apanhou minha camisa do espaldar da cadeira. Não, eu não a alcancei. Você pegou, com um desembaraço esquisito, uma certeza de que não dependia de licença e permissões. Eu fiquei assustado com sua naturalidade.

Colocou a camisa deixando a gola solta. A longa camisa entreabrindo os seios. Voltou para perto de mim e procurou a região acolchoada de meu peito. Adormeceu.

Eu não dormi para observá-la. Você se casou comigo ao vestir minha camisa. Não foi depois; foi naquele instante em que dividimos nossas primeiras roupas após dividir o corpo. Minha camisa a protegeu do inverno que insistia em ventilar pelas frestas. Você pensou que ela continuava meu corpo. Eu pensei que você continuava meu corpo.

Minha camisa como um vestido, beirando os joelhos. Minha camisa trocando de lar, de lado. Assumindo seu perfume, suas curvas, tomando a estrada da serra para a praia.

O grito, o gemido e o suspiro conversavam ao mesmo tempo em sua boca.

Em nenhum momento vacilou, admitiu dilemas, fraquejou em engano. Toda elegância é decidida. Puxando minha camisa para sua cintura, você organizou meus olhos, abriu os botões e os dias que viriam.

Uma mulher não usa a camisa de um homem se não pretende morar com ele. Está vestindo a casa.

Veste a manhã seguinte em plena noite.

Uma mulher não recorre à roupa de um homem à toa, percebe-se protegida. É uma escolha que decidirá as demais perguntas. Um ato de admiração, que torna os lençóis secundários.

É uma troca secreta de aliança. É bem mais do que levar a escova de dente para ficar na residência do namorado. Um sinal de aceitação mútua. Alguns casais não notam esse detalhe e se separam.

Você misturou nossas vidas, nossos armários, nossos pertences. Nada mais era meu, nada mais era seu.

Ao receber de volta a camisa de manhã, eu não consegui lavar.

AUMENTE SUA DELICADEZA ATÉ 28 CM

Nunca vi uma mulher ou um homem gostar sem criticar. O embaraço do sexo não decorre da ausência de intimidade, mas da intimidade E da cobrança que vem com ela. Mais fácil gozar com estranhos.

Depois de partilhar meses e cadernos de jornal com nosso par, abandonamos o elogio. Passamos a cobrar e expor os defeitos para que sejam corrigidos. É o cigarro, é a alimentação, é a distração, é o pouco caso com o dinheiro, é a indeterminação do trabalho, é a preguiça. A convivência traz a preocupação com o namorado ou a namorada e uma esquisita vontade de interferir. Entre conhecer e mandar, é um passo. Ou um tropeço. As mais duras agressões não provocam hematomas, ocorrem em nome da sinceridade.

O amor é confundido com pancadaria. Um teste de resistência. Uma prova de esgotamento nervoso. Se o outro não quer, que vá embora, e desista do prêmio maior que é a confiança.

Há uma visão sádica que não ajuda nem o masoquista. Falta medida. Falta parar e recomeçar o namoro. Falta esquecer e perceber que o próprio passado não é imutável, não existe certo ou errado, que nem tudo, por isso, é duvidoso.

A eficácia mata o erotismo. O aproveitamento total do tempo do relacionamento não colabora com a vaidade. Custa um agrado antes de transar? Uma meia-luz de palavras?

Não estou pedindo para mentir, muito menos fingir, mas falar um pouco bem para acordar os ouvidos e despertar o interesse.

No início, os joelhos são venerados, os cabelos são alisados com a decência de um espelho. As expressões afetuosas vão e voltam, repetidas com diferentes timbres. Todo homem no começo é, ao mesmo tempo, um tenor, um barítono e um baixo. Toda mulher no começo é, ao mesmo tempo, uma soprano, uma mezzo e uma contralto. Dependendo da região que toca, a voz muda.

Com a relação firmada, a excitação torna-se automática. O corpo tem que pegar no tranco.

A devassidão é trocada pela devassa terapêutica. Desculpa e por favor saem de moda. Como existe o trabalho, a casa, o dia seguinte e terminou a paixão (e somente os apaixonados são sobrenaturais e não sentem cansaço), o sexo pode ser mais prático, mais direto, pode até não ser. Na cama, estaremos falando dos problemas, das contas, do que deve ser mudado na personalidade. Não encontraremos paciência diante do relógio. Não vamos procurar cheirar a pele para atrair o beijo.

Eu compreendo perfeitamente quando um homem broxa se a cada instante é lembrado de sua barriga. Eu compreendo perfeitamente quando uma mulher decide dormir se a sua lingerie nova não foi reparada.

Nunca acusamos quem a gente não conhece.

Julgamos, infelizmente, quem vive nos absolvendo.

TODA DESPEDIDA É FALSA
(trágico é que alguns acreditam)

Tensionados, não existe escolha, existe precipitação. Alguém pedirá para sair.

Estamos os dois adoecidos, nenhum tem condições para ajudar o outro. Seu jeito de ser cuidada é diferente do meu jeito de ser cuidado.

Vou remando as bordas da camisa. Minha lentidão é despedida. Quando todo gesto se torna relevante por ser irrelevante. Não desloco os cotovelos porque os músculos argumentam que não vale a pena. Demoro nos movimentos singelos como levantar a xícara de café. Ele já esfriou e não sofro com isso. Não sofro com coisa alguma. O maior sofrimento é não sofrer. É quando não há nem mais ânimo para sofrer. E conhecemos a apatia da dor, um cansaço inacreditável, e resta a canção sem a letra, resta a vontade do poema e sua desistência. O pensamento vem e apago. Não me interessa apanhá-lo. Passo a ser meu único leitor. Não tenho esperança de que ficará emocionada, que me avisará que foi um susto desnecessário e me acalmará para dormir em seguida.

Maravilho-me com seus cílios e não comento. Maravilho-me com suas pernas brancas, os joelhos lisos, e não sopro nada. Maravilho-me com sua boca graúda e não me inclino a acompanhá-la. Beijar é andar de lado no cavalo.

Permaneço sentado nas mãos. Solteiro dos anéis que não vieram. Se chover, então, vidro-me na varanda sem mexer o tronco. Torço para que a chuva demore. Não suportaria os conselhos das calhas.

Sou a completa anulação de sentido para me movimentar. Espero que pule da dor para me abraçar. Que tome uma atitude, que não me magoe. Mas sei que o entusiasmo é frágil. Podemos supor que estamos recuperados e logo afundaremos novamente no delírio. A cabeça nos engana e as pernas não mandam os últimos boletins.

Repare que o soro fala devagar como a gente nesta hora. Tão devagar que engolimos de volta a pronúncia, o soluço, o sim.

Acordei desejando mandar flores. O mesmo arranjo que enviei na primeira vez. Iria colocar junto sua canção de Ella Fitzgerald. Recuei de bobo. Achei que não mudaria nossas dificuldades.

Pensei em buscar um prato bem bonito do seu restaurante favorito e deixar em seu trabalho, já que não que terá tempo para almoçar. Mas retrocedi de novo. Achei que não contaria com tempo para agradecer.

Acovardo-me de gentilezas. Falta a esperança de que serão compreendidas. Ou que me procure com meus apelidos pelo caminho salteado do jardim.

Chegamos ao caroço, onde os temperamentos se definem, onde não há mais a concessão dos primeiros meses. A carência é um caroço. Por isso é duro atravessar. Não é mais aquela facilidade da polpa, de atravessar com o embalo do suco. É agora que seremos pedras num canto ou seremos raízes.

Arrebento-me de arroubos, arrebatamentos. Mas a realidade é longe de minha casa. Não há amigo que me transmita o que tenciono escutar, que arranque o pessimismo poroso das folhas. Anseio por algum médico que nos avise que temos poucos meses de vida; é o suficiente para reunir as forças.

Você é intensa, mas sua intensidade não costura para fora. Eu sou intenso, mas minha intensidade costura para fora antes mesmo de comprar os tecidos. Sei que não entendo nem metade do que já sentiu por mim. Por absoluta ausência de comunicação. Sei que não entende nem metade do que sinto por você. Por absoluta ausência de paciência. Eu preciso ouvir, você não precisa falar, nos amamos desinformados.

Maldita chuva que começou. Os relâmpagos são gravatas azuis em terno escuro. A sobriedade das sobras. A chuva sempre está vestida para velório. A chuva lava bagunçando. Deixa tudo mais sujo. Muito mais verdadeiro.

Pretendia dizer que

A solidão é cheia de boas intenções.

MEU COLEGA SÍSIFO

Decidi mandar torpedos para os amigos no Ano-Novo Quem disse que desgrudavam de minha caixa?
Rede ocupada.

Eu insistia, e o congestionamento das linhas não me permitia relaxar.

Já delirava: — Meu irmão pensará que o esqueci, minha mãe pensará que sou arrogante, minha amiga pensará que não a valorizo.

O ansioso é o que tenta sabendo que vai dar errado. Ele quer dar errado para provar que a sua teimosia valeu a pena. Na ausência de dificuldade, não há a glória da mortificação. Na ausência de entraves, serei um desempregado amoroso. Eu me fio nas urgências, nos problemas, nos conflitos para me valorizar. Longe dos incômodos, terei que vadiar minha alegria, o que raramente me permito.

Há um delírio de grandeza, o mundo não irá continuar sem aquele ato, que o universo das relações afetivas depende de minha resposta. Na minha imaginação, sou sempre o sobrevivente dos filmes apocalípticos, aquele que escapou de um maremoto, da bomba nuclear ou de um vírus letal.

Isso me lembrou o quanto já sofri à toa. Aliás, jamais sofri à toa, esse é o problema.

A comunicação um tanto artesanal ajudava minha expiação, eram duas resistências comungando. Escrevia em máquina elétrica. No fim da fita, procurava uma nova pela cidade. As lojas sempre estavam em falta com o produto. Ensandecido, demorava dois dias para conseguir voltar a um texto. Não redigia à caneta, botava na cabeça que tinha que ser daquele jeito. Os rituais criavam uma fantasia de segurança e domínio. Nos anos 80, trabalhava em assessoria de imprensa. Depois de fazer o release, deflagrava o martírio de mandar para os jornais e rádios por fax. Mais de trinta veículos. Três horas tentando o sinal. Abandonava o expediente quando todas as linhas atendiam. Ninguém me cobrava, eu me exigia. Claro que não acontecia. Não usava nenhuma desculpa, permanecia batucando as teclas, girando o disco, lambendo o fone. Gostava de sofrer. De repente, a folha ia pela metade e me obrigava a repetir a operação dezenas de vezes. Entrava na culinária italiana: já sovava massa. O diabo é que comia.

Arcava o hábito de deixar minha sala de madrugada. Mas feliz porque não desistira. Feliz com os calos nos dedos. Feliz porque suara.

Na era da internet discada, a mesma ladainha. Ao remeter um e-mail, aguardava dias para conseguir o eco. Ainda em mim a música cardíaca do telefone avisando que entrara na internet. Não desaparece como jingles cafonas de concessionária. Para baixar mensagens, o sacrifício resultava bíblico. Cento e cinquenta mensagens completando e subitamente caía a conexão.

As mensagens que já haviam entrado retornavam inéditas. Ou quando incumbido de despachar um texto ou uma foto de modo emergente e o download não concluía sua seringa de transfusão. Não pode ser sadio o que nos irrita. Ficava ranzinza, ameaçado. O ansioso se enxerga ameaçado, pronto a ser denunciado. Uma paranoia forçada. Não arredava os pés, as mãos e os olhos da tarefa. Ao invés de relaxar e retomar mais tarde, perdia o sono reiterando a frustração. O que me leva a crer que Sísifo foi meu colega do jardim de infância.

Sou um ótimo profissional por uma doença, não pela saúde. A maioria dos chefes elogiava a dedicação e não diagnosticava a dependência química do defeito. Dedicação é o que a gente faz sem nos agredir, aquilo que ostentava poderia chamar de renúncia. Eu me batia, eu me esfolava, eu me censurava, eu me humilhava.

De todas as tecnologias, ainda não conheço muito menos respeito a do meu próprio corpo.

AQUELA ÂNCORA TRANSPARENTE

Um avô conversava com sua neta numa lancheria. As cadeiras e mesa na calçada.
Ela tomava sorvete, surpreendida pela oferta do doce fora de hora.

Deveria estar comendo uma fruta, levantando a xícara de café com leite; era sorvete.

A menina lambia com ajuda do queixo. Temia o castigo, mesmo com a proteção adulta.

O avô zelava os avanços da casquinha. Orientava onde precisava abocanhar para não escorrer até os dedos. O guardanapo molhado, rede de proteção pequena para a velocidade do sol.

Ele assumiu os cuidados da neta naquela manhã. Os pais da criança ainda trabalhavam e ela começava as férias escolares. Não perguntei nada disso, estou imaginando.

Parei diante deles como quem procura uma rua. Ou, depois de muita pernada, chega à conclusão de que não sabe o caminho. Eu me vi observando os dois com uma avidez imperdoável para quem não os conhece. Uma curiosidade indiscreta para quem não vai pedir informação.

É que eu já senti isso. Eu senti exatamente o que a menina está sentindo. Não me lembro, é o que mais me incomoda. Lembro do sentimento mais do que dos fatos. Na minha infância, poucas vezes fiquei sozinho com meus avôs, talvez tenha ficado inúmeras vezes, e me distraí em provar o sorvete e não guardar a cena.

Por algum motivo secreto, a guria me substituiu. Poderia antever que ela cumpria o banho de noite do mesmo modo que eu quando pequeno, para não sair com os cabelos molhados. Os travesseiros recebiam nosso melhor perfume, o que complicava pular da cama logo cedo.

Minha sanha era desmarcar as reuniões na universidade, me recolher entre eles e comparar o que estava sentindo com o que eles sentiam. Fazer perguntas, descobrir coincidências. Mas comentar é chamar atenção ao que ainda nem terminou de acontecer.

Durante o dia, essa operação é comum. Não entendo por que atraquei, meu olhar desaloja sua âncora de cílios, pálpebras e trevas. O barco para de súbito. É que estou vivendo novamente o que não sei.

Mais adiante, na praça, um par de namorados faz juras e gira os rostos apaixonados pelo melhor ângulo. Entre um beijo e outro, deitam o rosto em breve trégua. O cansaço satisfeito de um beijo, eu já senti isso. Eu já senti isso. Olho alucinadamente para me lembrar. Posso ler os lábios do casal, adivinhar que estão se despedindo em função de compromissos familiares. Cada um vai partir para uma praia diferente. Prometem se telefonar, prometem fidelidade. Eu já senti isso. A promessa do reencontro.

É constrangedor observar a vida alheia, mas não consigo me conter. Não é vida alheia, nada é vida alheia, é minha vida sendo devolvida.

O BAR É UMA PESSOA

O táxi invadia a extensão albina azulada de Copacabana. Na redoma amarela, eu, Sylvia Cyntrão, Gabriel Arcanjo e Xico Chaves.

O rádio tocava Roberto Carlos bem baixinho. Alto era o limpador de para-brisa.

Em dia de chuva, todo táxi do Rio de Janeiro tem um limpador de para-brisa barulhento. Nenhámnenhámnenhám. O som não me irrita, meus ouvidos entram em transe. Eu me embalo com a ópera de canetas no vidro. Assim como não abro mão de um ventilador bem velho e ruidoso para me fazer dormir.

Estava ciscando os arrulhos da água enquanto Xico, na frente, conversava com o motorista.

Pulei algum trecho do papo, mas Xico, tradicionalmente alegre e disposto, desandou a chorar.

Um apaixonado dolorido, corneado, choraria no banco de trás. Já entraria sabendo que iria chorar. Manteria a discrição. Seria um choro contido de retrovisor, respeitado pelos relâmpagos.

Quem chora num banco da frente de um táxi não chora por escolha, foi surpreendido pelo choro. Não é uma confissão premeditada, é um assalto do sangue. Um susto de aflição. Um atentado.

Xico chorava com gosto. O motorista buscava acalmá-lo.

Xico chorava. As maçãs do rosto já cortadas, a polpa corando com rapidez.

— O que houve? — perguntei com medo de perguntar.

— Fechou! O bar do Noel Rosa fechou! — Xico explicava, misturando soluço, sopro e desaforos.

Eu fiquei assustado, até entender que o boteco no Rio de Janeiro é uma pessoa.

Morreu uma pessoa, não um negócio. Morreu um ancião, um patriarca. O obituário não estaria no jornal no dia seguinte, era um obituário de boca a boca. Um obituário falado. Um obituário secreto. Um obituário cantado.

Não era um bar qualquer, era uma tradição, uma mesa de família, uma cadeira abençoada. Morria de novo Noel Rosa. A atmosfera de Noel Rosa, a sombra sem queixo de Noel Rosa. O único lugar, bem melhor do que o cemitério, em que Noel Rosa poderia ser encontrado.

Xico praguejava. O bar carioca é o fundo da casa, o fundo da noite, o fundo da manhã.

Quando o marido se atrasava, a esposa nunca o procurava no IML ou na polícia. Procurava o marido no boteco e lá o encontrava perdendo a hora na fumaça e no repeteco dos chopes. O boteco servia como a área de lazer dos condomínios. Só descer.

Deixava de ser um endereço comercial para assumir o destino de seus clientes. A fama, a sina, a música de seus clientes.

O bar de Tom Jobim e Vinicius de Moraes, o bar do Paulinho da Viola, o bar do Chico Buarque, o bar do João Gilberto. No Rio, desse jeito são apresentados os pontos. Os letreiros infiltrados nos nomes de seus personagens. O passado protegido pelo plástico dos cardápios. A memória viva e frágil como os urubus no céu.

Xico chorava porque não adiantaria beber naquela noite.

POUSAR É VOAR COM ROSTO

Walter não é supersticioso. Mas não arriscou colocar um espelho fora.
Assim como não fotografa seu filho enquanto dorme. Ou não deixa o chinelo emborcado. Ou não coloca a bolsa no chão. Pequenos cuidados. Prefere não desafiar as crendices repassadas pelos pais. Pequenos respeitos.

Sem lugar nobre entre os móveis, pregou o espelho na varanda de sua chácara, entre duas janelas. Armou uma mesinha com pedras e compensados, e descansou do problema.

Curioso é que vários pássaros pulavam das barras de madeira ao espelho. Aproximavam os bicos no reflexo. Admiravam-se. Batiam as asas e voltavam ao mesmo lugar.

Até as aves são narcisistas. Têm o céu à disposição, têm as alturas para esticar o corpo, têm as árvores como trapézios e se ajoelham a um pedaço de vidro. Em manhãs sucessivas, enfrentam o perigoso alarido humano, escapam dos cotovelos da conversa e conferem suas imagens no balcão.

As aves procuram o espelho porque são carentes. Até as aves.

A plenitude não nos completa; redobra a insegurança. Quanto mais amamos, mais a carência aumenta.

Minha namorada estará diante de mim a qualquer hora esperando que a observe. Ela não me testa. Sou seu espelho. Ela me procura para se reencontrar. Reencontrar a si: quem ela foi quando se apaixonou. Todo dia deseja repetir a primeira vez em que eu a vi e ela se viu em mim.

Não estava linda para uma festa, para uma reunião, para um destino genérico. Estava linda para sua vida. Ela se percebeu desejada como se desejaria no futuro. Eu a desejei como ela já se desejou.

É essa ave que não pousará fácil. Circulará pela casa pedindo meu rosto. Uma exigência que não é chateação. Não é cobrança. Não é desespero. Criar uma modulação quando é natural se acostumar.

Ela se esforça para impor diferenças. Uma sobrancelha desenhada, as unhas feitas, um brinco novo, um vestido recuperado, um sapato amansado de brilho.

São tantas chances por dia para me apaixonar de novo. Tantas chances para devolver aquele olhar que me inaugurou como homem.

FLORISTAS DO MAL

Tenho rinite alérgica. Sou daqueles que não dependem do seu bom gosto, mas da escolha dos outros. Como um time que nunca será campeão pelas suas pernas. Aguarda resultados paralelos para conquistar o campeonato. Meu olfato é tênue. Todo cheiro excessivo e adocicado, fico indisposto. Vêm tosses gritadas, enxaqueca e tonteira. Estarei imprestável para o resto das horas.

Pode ser minha noite perfeita: eu me arrumo com rigor, escolho o restaurante predileto, solto frases engraçadas, minha namorada já elogia o romantismo do enredo, a urdidura da cena. Sabe aquele momento em que descerei a lomba com a bicicleta das palavras, nem preciso mais pedalar? Comigo não funciona. Tudo acabará porque, na mesa ao lado, janta uma senhora com duas camadas de um perfume que lembra talco líquido. O corpo adoece, mergulha em depressão respiratória, não me obedece mais. Tento não respirar, avermelho as bochechas, escapa a concentração e o verniz da cafonice mergulha nas terminações nervosas. O que me resta é congelar o relacionamento para o dia seguinte. Claro que o sexo não terá o mesmo gosto, mas fazer o quê?

Meus vexames são inspirados. Vivo sendo boicotado.

Começa com um vizinho que usa desodorante como creme hidratante. Por onde anda, deixa um rastro insuportável. Não deve ser spray, mas aquela embalagem que se aperta como pasta de dente. Com um furinho na tampa. Conheço desodorantes econômicos e versáteis — empregados também como detergentes. É o caso dele. Não vou mencionar a marca para não fazer merchandising. Nome do diabo não se fala. Demoro um bom tempo para tirar a sensação de secura da boca. Ele transforma a rua numa saída de construção civil.

A romaria prossegue no elevador do emprego. No último instante, quando a ascensorista suspira diante do painel iluminado, entra um executivo em decomposição perfumosa. Com uma fragrância francesa, cara, dada pela esposa para espantar a concorrência e indiscrições orais. Se boicotar o presente, seu casamento termina. O azar é que subirá ao meu andar. Prefiro o cheiro de naftalina e da Minâncora. Ao menos, representam cheiros familiares.

Repito o martírio no teatro e no cinema. Desde a infância, o fede-fede me procura. Larguei sessões pela metade. Coleciono filmes inacabados, gafes, crises histéricas de espirros. A educação é cheia de pudores e não pretendo atrapalhar os demais espectadores.

A coriza me aniquila. Inviável conversar com o nariz em prantos. Não há como ser heroico com coriza. A masculinidade morre na primeira fungada — é o macho derretendo. Tuberculose, pneumonia, febre amarela, doença de verdade não diminui a hombridade. Envolvem complicações de saúde que nos põem em luta, num estado primitivo de animal combatendo a fraqueza. Seremos sobreviventes. Seremos mais nobres pela batalha. Receberemos medalhas de honra ao mérito.

Ao abandonar o hospital, ouviremos comentários viris dos familiares. "Ele venceu a tuberculose, acredita?"

Traremos uma tristeza no olhar, um abatimento que confere mais legitimidade ao riso. A sedução requer tristezas antigas. Não conheço sedutor sem dor. A delicadeza deve estar acompanhada de um vento hostil. Nada como uma cicatriz ou uma ferida para acentuar o mistério.

Coriza, por sua vez, não atrai seriedade. É uma bobagem. Produz unicamente constrangimento. Pede lenços de papel. Quer algo mais desmoralizador do que carregar uma caixinha de guardanapos no bolso do casaco?

As mulheres não aceitam como desculpa. Confundirão nosso bigode com buço. Homem com coriza é fraco demais para o acasalamento, riscado da cadeia alimentar

— O que deu errado com ele?
— Foi a coriza!

É igual a espalhar a fofoca de que o cara broxou. Coriza vem de um resfriado. E resfriado é a broxada da gripe. O sujeito não conseguiu nem uma gripe, teve resfriado. Sua reputação desaparece.

As essências desencadeiam pavores diários. Comigo, as flores não são poéticas, são carnívoras.

DEPOIS DE TANTO TEMPO

O maior segredo do amor não é por que amamos, mas por que deixamos de amar.
Nem procure recapitular o que bebeu na noite anterior. Não tomou nada.

A descoberta é sutil como perder um prendedor de cabelo. Quase insignificante como um enjoo, uma ressaca. A consciência surgiu por acaso, sua origem não é bem certa, de repente na hora de escovar os dentes ou ao regar as plantas ou ao atender o interfone. Não tem lógica. Saímos do centro de gravidade que nos tornava absolutamente dependentes dos gestos e das atitudes do outro. Estamos livres para pensar sozinhos e, ao mesmo tempo, presos para sempre na incompreensão.

O desamor é tão fulminante quanto a atração, mas com consequências embaraçosas. Como abandonar a militância, a ideologia, e não ser visto como um traidor? Como narrar o que não tem enredo e reunir sentido em frases soltas e ensimesmadas?

Qualquer um vai se envergonhar de contar, trata-se de um sopro, não mais de uma voz. Não é algo para perguntar, está resolvido, fertilizado de impressões.

Porque é duro sair de casa sem um motivo. Duro encarar quem amamos tanto tempo sem oferecer nenhuma explicação adequada e convincente para o fim. Duro conversar sem mesmo entender como ocorreu a passagem de lado, de uma fidelidade extrema e desesperada à indiferença. Duro executar a tarefa, sabendo que alguém aguarda ansiosamente uma palavra para desaguar os traços, uma palavra onde possa colocar a culpa e amaldiçoar nosso nome. Esse alguém precisa da palavra que não temos, como um pai ou uma mãe do corpo desaparecido do filho.

Vive-se a tragédia de não ter uma tragédia para desencadear a briga. Não haverá uma causa específica para a distância. Fugiremos do contato visual, por não corresponder mais às expectativas.

Receberemos a fama de mentiroso, de fraco, de que estamos escondendo a verdade. Muitos forçam uma causa, para descontar o preço da loucura. Muitos revisam os últimos movimentos para justificar o término. Muitos mentem para não passar trabalho. Muitos tentam diminuir a injustiça inventando fatos.

O que aumenta a penumbra é que incrivelmente nunca mais encontraremos nosso par, apesar de viver na mesma cidade, frequentar o mesmo bairro, dividir gostos semelhantes. Nenhum esbarrão no mercado ou no banco. Os amigos em comum apagam as pistas. Não dá para compreender se mudamos os hábitos ou os hábitos não nos pertenciam mesmo e queríamos agradar pensando que eram nossos.

Minha namorada reviu seu ex num bar. Ele estava acuado com o imprevisto, cumprimentou nervoso em vez de ajudar o rosto a sorrir. Ela foi ágil, venceu as cadeiras de ferro, as mesas truncadas, esforçou seu quadril para criar interesse e perguntou o que ele andava fazendo. Eu assisti ao enlace esperando o momento de ser apresentado.

Sondei o que passou pela cabeça de Cínthya: aquele rapaz simpático, de cabelos compridos e óculos ingênuos, foi um dia seu melhor, que ela também foi um dia o melhor dele. Ela tinha que mostrar ternura e não me ferir de ciúme. Ele tinha que apresentar confiança e não se abalar comigo.

A emoção ficou represada ou talvez já houvesse secado. Não se falavam durante cinco anos. Idealizaram um reencontro que não aconteceu. Não existe justiça depois da separação.

SEPARAÇÃO CRIATIVA

Eu adoro a palavra. Sou fascinado pela palavra, não há nenhuma novidade nisso.
Mas não coloco mais a palavra em primeiro lugar. Não sou mais coletor de ofensas.

Se meu filho explode e avisa que não me ama, não irei castigá-lo ou obrigarei que ele desminta na minha frente. Não o puxarei pelos braços, não responderei para procurar um pai diferente, não subirei no púlpito e ordenarei maldições. Tem a liberdade para me odiar. Eu sei que ele me ama. Eu sei que ele me quer.

A sabedoria não está em evitar o sofrimento, e sim em não fugir dele

Já observei casamentos desfeitos porque um falou para o outro que acabou e não voltava mais. E nenhum dos dois cedeu e insistiu e perguntou de novo. Passaram a história inteira para provar o que ele ou ela desperdiçou e o dano irreparável de suas frases.

Enterremos logo nossas maldades para velar as injúrias. É só oferecer ao nosso par a mesma capacidade que temos de nos perdoar. Desapareceria metade dos problemas. Os inimigos são netos de nossas teimosias.

Castigamos com silêncio quem temos certeza de que nos ama; torturamos com silêncio quem temos certeza de que nos ama; somos indiferentes a quem temos certeza de que nos ama. Por uma palavra dita na dificuldade absoluta de comunicação. Não vale o que foi vivido antes, será enviado um boleto bancário de um grito, de um palavrão, de uma observação injust. A cobrança será eterna quando seu significado era provisóri próprio do desabafo, de um momento infeliz.

Não conheço dor que não seja desajeitada; ela vai declarar do jeito errado e do modo errado. Por que não desculpar?

Terapeutas conhecem o assunto a fundo. Toda discussão é um desespero e não podem sair agrados e elogios. Mesmo assim, fazemos de conta que é difamação e desrespeito. Mais fácil odiar do que continuar trabalhando as próprias limitações.

O boicote é uma forma de educar pelo sacrifício. A pior forma. É ficar preocupado em honrar o castigo. É preparar uma vingança ao invés de se distanciar um pouco para entender o que gerou a discórdia.

Trata-se ainda de um sacrifício mútuo, os dois vão perder a possibilidade de criar uma intimidade maior e mais generosa.

Aquele que atacou pedia ajuda. E atacou, pois não sabia justamente pedir ajuda. Preocupados em nos defender, não alcançamos o apelo e retribuímos o inferno.

A palavra engana. A palavra manda embora e o corpo pede um abraço. Há de se procurar o gesto. O que me interessa é o gesto, o resto da palavra. A origem. Se aquilo foi feito para permanecer mais perto.

Quando viajo para a serra gaúcha, as estradas me ensinam a importância do que é torto. Elas seguem a natureza ardilosa dos morros, assustam com suas curvas, mas sempre me deixam na cidade em que nasci.

É na briga que mostraremos nossa criatividade. Poderemos repetir os clichês: desaparecer para impor uma lição ou aparecer com namorado/namorada para humilhar ou fingir que nada sente. Poderemos repetir as convenções, defender o orgulho acima de tudo, nos preocupar com a honra mais do que com a relação, chamar de preguiça a falta de cuidado com o que foi dito, reclamar responsabilidade, impor ao outro a severidade de nossos princípios para mostrar o quanto somos nobres, coerentes e firmes.

Ou poderemos contrariar as expectativas com um talento incomum ao humor e ao entendimento. Só um debate tem tréplica. O diálogo não conta o tempo nem limita o direito de falar.

Se a separação depende de motivos, a reconciliação é muito melhor, não precisa deles.

Amor não dá a última chance, dá chance sempre. O capricho é cuidar do erro. Não há capricho sem usar a borracha e reescrever de novo.

PRECONCEITO
(por uma voz feminina)

Mulher não é reboque, não é complemento. Mulher é inteira, mesmo que esteja ausente. Mulher não precisa de outro para afirmar que é ela.

Fui jantar sozinha, para acompanhar a refeição de um chef italiano. Meu marido não veio porque cuidava de nosso filho pequeno no hotel. Jantar chique, meia-luz, a suspeita começou na entrada.

Ao procurar meu nome na lista, a jovem perguntou:

— Espera alguém?

— Não, não espero ninguém.

— Vieste sozinha?

— Vim, algum problema?

Eu era o problema. Uma mulher sozinha sempre é um problema, uma ameaça à cadeia evolutiva da noite.

A dificuldade foi escolher uma mesa. A dificuldade mesmo foi andar pelas mesas com os convidados me olhando. Eles não me olhavam, eu me sentia olhada, esperava o olhar deles por antecipação e não conseguia responder a tempo. A maioria ficou sem retorno.

Sentei de canto. E percebi que não tinha muito assunto comigo. Fazia anos que não puxava assunto comigo. Minha conversa é monogâmica, meus pensamentos são solteiros.

Os homens não podem enxergar uma mulher sozinha que já querem seduzi-la. As mulheres não podem enxergar uma mulher sozinha que já ficam com pena.

Homens iniciavam gracejos que caberiam para qualquer uma. Qualquer uma é a mãe deles. Sei o que é uma cantada pela falta de criatividade. Homem pode vir sozinho que não é estranho, você reparou? É escolha, independência. Mulher sozinha é ausência de opção e incompetência, não conseguiu trazer sequer um homem junto.

Concluo que passei a noite me defendendo. Mulheres apontavam para aquela morena alta, que estava destoando entre dezenas de casais. Procuravam me entender, como se implorasse compreensão. Estava caçando? Sim, caçando o cordeiro no meu prato, que não mostrava muita resistência empanado de mostarda e farofa.

O vinho serviu-me de amante. A bebida é amante de mulheres suspeitas como eu. Suspeitas por não estarem com seu marido ou namorado. E ainda nos falam que os costumes evoluíram. O que me restava fazer senão beber para me sentir ocupada e aliviada da desconfiança?

Até o garçom vinha com mais rapidez. Até o garçom entendeu minha aflição. Um casal de conhecidos tentou me resgatar. Toda mulher sozinha é identificada como uma afogada. Uma suicida. Salvar de quê? Salvar de mim? Desejou que sentasse em sua mesa. Como se estivesse no lugar errado.

Toda mulher sozinha está no lugar errado, é o que se acredita. Eu escolhi o lugar, não se cogitou isso? Ou a solidão é errada? Um crime a solidão.

O senhor insistiu, confundindo a vontade com educação:

— A gente põe uma cadeira a mais em nossa mesa!

O convite migrou para mendicância. Colocar uma cadeira a mais é dizer que não era planejada e apertar os acomodados. Nunca diga que vai colocar uma cadeira a mais. É um favor. Mulher não depende de favor para existir. Nem de nenhum homem.

A FRUTEIRA

Abandonei as cicatrizes. Sei onde ficam e me tranquilizam. Confortam-me. Tenho cinco na cabeça, uma no braço esquerdo e uma última na rótula do joelho. As cicatrizes me adaptam. Identificam o meu corpo, já que não nasci com nenhum sinal de nascença.

Não sou masoquista, não me entenda errado. Ou me entenda errado, que é seu jeito possível de me entender.

As cicatrizes não são provas de quanto se sofreu nesta vida, relógios de bolso a clamar piedosa pontualidade: "Quando aconteceu isso?"

Ao contrário, vejo na cicatriz a marca de que sarei. De como a pele milagrosamente se regenera e me protege. Ela não atesta meu sofrimento, indica que posso me recuperar com a facilidade que sangrei.

Dores velhas contam maldades pelas costas. Não dê ouvido. Dores novas gostam de insinuações. Não dê corda. A dor não tem pescoço e vai pedir o seu.

Abro uma confidência: de tanto mexer nas minhas feridas, elas só infeccionaram.

Não faço mais turismo em minhas dores. Nem convido outros a sofrer de novo comigo, como se fosse uma espécie de justiça o outro penar o mesmo que eu.

Tristeza guardada não cheira bem, raiz rançosa, como roupa guardada, como comida guardada, como amor guardado. Não me peça para chorar duas vezes. Em mim, há mais boca para nadar do que olhos.

Não contabilizarei o que não consegui e o que me falta. Não amaldiçoarei um relacionamento que não me ofereceu o que eu esperava, não cobrarei a juventude que doei a alguém, não justificarei rupturas e fracassos.

Vou procurar a fruteira do bairro. Fruteira não nos obriga a entrar. Está entre a rua e o interior de uma casa. Oferece liberdade para espiar.

Andarei aleatoriamente pelos caixotes e bancas de madeira. Do canto da parede, levantarei uma bandeja azul, bem gasta, para carregar os cachos e as porções. Essas bacias têm muita honestidade.

Atrás do balcão, o dono e seus óculos inquisidores. Retribuo sua desconfiança com meu riso ingênuo. Ninguém resiste a um riso sem palavras.

Não existe nada mais terapêutico do que cheirar as peles das frutas. Superior à maciez de nossas cicatrizes.

Convidarei cada fruta a dançar em meu rosto. Não, dançar não é o ideal. Serei antigo. Convidarei as frutas a me conduzir. Conduzir é mais do que convidar a dançar. "Pode me conduzir?", perguntarei. Era aquilo que as pessoas diziam quando não conheciam os passos de uma música.

E levarei fruta-do-conde, lima-da-pérsia, uva rubi. Para não negar a aristocracia de minha alegria.

SEGUNDO ALTAR

Não tenho nenhuma compaixão por Romeu e Julieta. Eles não experimentaram nenhuma crise de relacionamento antes do fim.

Nenhuma discussão no trânsito. Uma briguinha para quem iria se levantar para chavear a porta. Não reclamaram dos excessos, da bagunça do quarto ou por voltar tarde. Não provaram do veneno dos costumes, do terror de se entregar demais e perder a cabeça, ou do pudor de se entregar de menos e se afastar.

Conheceram o ímpeto do amor, não o amor.

Não descobriram a medida, o equilíbrio exato de dois corpos, que demora anos de convivência para aparecer.

Para mim, Romeu e Julieta continua sendo apenas um bom charuto.

Mas estrago meu rímel natural com casais que morrem juntos na velhice. Esfolo os joelhos do rosto. Sangro os lábios.

Depois de meio século de vida em comum, um não sobrevive à morte de sua companhia. Desistem. Perdem o sentido de respirar com o enterro da esposa ou do marido. Ficam emparedados pelo passado. A cozinha não terá saída; o quarto não terá lado; a sala não terá janela; a manhã não terá a companhia do café e da leiteira fervendo.

A casa que mais adorava em minha rua terminou destruída. Residência antiga de dois andares, verde como um pinheiro no alto da montanha, desfrutando, inclusive, de água-furtada. É agora um poço de ruínas, paredes fatiadas, escombros e uma estranha mesinha para aves descansarem da fartura dos farelos. Não duvido que seja transformada em mais um estacionamento.

Meu filho passa pelo terreno minado com o olhar arrastado, antes recebia balas e brincadeiras de seus moradores Sady e Heidi, que cuidavam com capricho do jardim, dispondo anões e bichos de pedra pelas roseiras. Os dois viveram sessenta anos de casamento. Quando Heidi faleceu este ano, Sady não durou cinco dias. Seu espírito altivo, lépido e incansável, de quem acordava às 6h e saracoteava pela cidade, apagou-se repentinamente. A carne cedeu, o rosto murchou, ele adoeceu de ausência. Ambos cumpriram um pacto de vida mais do que de morte. Não admitiram a distância dos sete dias da missa — era muito longe. Não admitiram o aparte de uma semana — era muito tempo. Embarcaram no invisível de ombros dados. Heidi nem entrou no paraíso, esperou na porta seu marido, como se fosse um segundo altar.

O mesmo posso falar de Stella e Dorival Caymmi. Stella deixou a cena 11 dias após a despedida de Dorival. Foram casados durante 68 anos. Dorival morreu porque Stella baixou o hospital em estado grave. Stella morreu quando soube (pela intuição que só os pares de dança têm) que Dorival guardou sua voz no estojo. Um dependia do outro.

Não aceitaram a viuvez. A viuvez era também uma infidelidade. Uma traição ao casamento. Mostraram a Deus que não é ele que manda aqui, ajuda ou atrapalha; não manda. O livre-arbítrio é da lealdade. Escolher a hora de pôr a aliança e escolher a hora de se pôr na aliança.

Plantei uma pitangueira no jardim de casa. Não havia modo de vingar: adubo, vigília, conversas, água pontual, terra nova. Engatinhava no jardim, retorcida, orando para deitar entre as pedras e não ser mais incomodada. O vento se desculpava ao passar pelo pequeno quarto de raízes.

Como última saída, busquei uma lenha e coloquei como esteio para segurá-la. Amarrei a haste com uma corda de varal e abandonei seu fim. Não sabia se o apoio era uma escada ou a própria lápide.

Depois de um mês, a pitangueira não floresceu, mas o esteio.

Impresso no Brasil pelo
Sistema Cameron da Divisão Gráfica da
DISTRIBUIDORA RECORD DE SERVIÇOS DE IMPRENSA S.A.
Rua Argentina 171 – Rio de Janeiro, RJ – 20921-380 – Tel.: 2585-2000